싱숭생숭 집에가자

용진

잠깐만요!

이 책은,

여행하며 살아가길, 여행하듯 살아내길 바라는 평범한 사람이 적은 평범한 책입니다. 언제부터인가 서점 책꽂이를 보면 '~에서 한 달 살기', '~로 떠나기'와 같은 뉘앙스의 여행 서적이 많이 보입니다. 그만큼 각박한 오늘을 살아내는 우리들은 현실을 벗어나 어디론가 떠나고 싶어 한다는 사실을 방증하는 것일지도 모르겠어요.

사진 작가가 찍은 듯한 완벽한 구도와 색감의 사진. 한 줄 한 줄 밑줄 그어가며 읽어야 할 것 같은 감성적인 글귀. 당장 하던 일을 그만두고 "퇴사할래!" 외치게 만드는 동기를 불어넣는 힘. 제 부족함으로 그런 것들을 이 책에 담지 못했어요. 그래도 읽어주시면 감사하겠지만, 다른 멋진 작가님들의 책을 보시더라도 울지는 않을게요. 이왕 표지까지 넘긴 김에, 한번 뭘 썼나 들어보실래요?

잠시만요...

이 책엔,

우리가 매일 들고 다니는 작은 핸드폰으로 이리 돌리고 저리 돌리며 찍은 사진이 있고, 밥 한 끼 사주고 싶은 감성 끝자락의 짠 내 나는 이야기가 있어요. 지금 우리가 서 있는 그 자리에서 하루하루 살아가고 있음의 대단함을 다시금 느낄 수 있게 해주는 글이 담겨있어요.

익숙한 곳을 떠나 캐나다라는 먼 땅에서 일 년 동안 '살아낸' 이야기. '워킹홀리데이'라는 말에 왜 '워킹'이 먼저고 '홀리데이'가 나중인지 뼈저리게 느낀 이야기. 일상이 여행 같았고, 여행처럼 일상을 살았던 순간들이 담겨있습니다.

수많은 서점과 책의 바닷속에서 이곳까지 오느라 고생하셨고, 또 감사해요. 치열하게 행복했던 일 년의 시간을 여러분과 나눌 수 있게 되어 조금 민망하지만, 많이 기쁩니다.

글을 읽으며 중간중간 피식하며 웃길. 사진 속 이곳이 어딜까 궁금해지길. 그리고 얘도 했는데 나라고 못 할쏘냐 생각되길. 진심으로 바랍니다.

오늘을 힘차게 살아내는 여러분을 응원하며.

2020년 여름

용진 올림

목차

이미 엎질러졌어

싱숭생숭. 기대 반 걱정 반이라는 감정이 무엇인지 절실히 느끼는 시간이 바로 미지의 먼 길을 떠나기 직전의 시간일 것이다. 내가 가고 싶어서, 내 손가락으로 열심히 번역기 돌려가며 지원한 건 분명한데 막상 1년 동안 정든 가족들, 친구들, 우리 동네를 떠나 말 한마디 통하지 않는 나라로 간다는 게 믿기지 않는다. 때로는'그냥 취소할까?'라는 생각도 문득 드는 떠나기 하루 전.

더 물러설 곳은 없다. 항공권은 다 끊어놨고, 임시숙소도 예약해 놨으니 이미 엎질러진 물이라 닦기엔 힘들어 꾸역꾸역 싸지지 않는 짐을 쌌다.

눈 다래끼다 두통이다 자잘하게 아픈 곳이 많은 막내아들을 걱정하는 엄마의 사랑이 담긴 비상약들(약국에서 5만 원어치 넘게 산 것 같다), 사계절 동안 지낼 옷가지들, 여러 가지 복잡한 서류들. 셀 수 없이 많은 짐을 두 개의 캐리어에 넣다 보면 지금껏 느껴보지 못한 감정들이 마음속을 난도질 하곤 했다. 낯선 날카로운 감정들에 이리 찔리고, 저리 찔려가면서도 즐겨 듣던 음악을 처방 삼아 듣다 보니 끝나지 않을 것 같던 그 시간도 어느덧 끝이 났다.

평소 나를 저울질하던 체중계에 내 몸뚱이 대신 캐리어를 올려 추가 요금을 내지 않으려고 발버둥을 쳤다. 몇 번 풀었다가 쌌다를 반복한 끝에 결국 정확히 23kg에 무게를 맞췄다. 1년을 책임질 짐이 드디어 완성된 것이다.

'이제 진짜 하룻밤만 자고 일어나면 떠나야 하는 건가?'라는 이미 답은 정해진 물음을 의미 없이 던지길 여러 번. 그 어느 때보다 포근하게 느껴지는 내 방, 내 침대에서의 마지막 밤은 그렇게 흘러갔다.

기사님, 보셨나요?

날이 밝았다. 기다리고 기다리던, 혹은 오지 않기를 바랐던 한국을 떠나 캐나다로 향하는 날이.

부엌에서는 음식 만드느라 분주한 엄마의 모습이 보이고, 현관문 앞에는 어젯밤 싸 놓은 커다란 캐리어 두 개가 장승처럼 서서 나를 째려보고 있다. 얼른 자기를 챙겨 떠나라는 듯이 말이다. 평소처럼 씻고 늘 입던 편한 트레이닝 복으로 준비를 하지만 '오늘'은 평소의 '오늘'과는 분명 달랐다. 할머니께서 꼭 먹고 가라며 미리 챙겨주신 돼지갈비와 엄마가 갖가지 양념을 넣어 만든 닭볶음탕을 맛있게 먹고 항상 그래왔던 것처럼 TV를 보며 여유로운 시간을 보냈다.

시간은 그 어느 때보다도 무겁지만 빠르게 지나갔고 진짜 떠나야만 하는 때가 되었다. 나를 배웅해주기 위해 일부러 출근 시간까지 미룬 엄마와 형이 터미널까지 가는 길에 함께 했다. 터미널에 도착한 후 버스에 오르기 전 마지막으로 다 함께 사진 찍으며 웃어 보였지만, 마음 한 편에 가득한 설명 못 할 감정은 사진 속 얼굴들에 그대로 드러나는 듯하다. “이제 진짜 버스 타야 할 것 같아. 걱정하지 마. 잘 다녀올게.”라고 아무렇지 않게 말한 뒤 버스 아래쪽 저 구석에 짐을 싣고 맨 앞 3번 좌석에 올랐다. 버스 기사님은 야속할 정도로 출발하기로 약속된 정시에 문을 닫았고 나는 차창 너머 보이는 엄마와 형을 향해 웃으며 손을 흔들었다.

버스가 터미널을 빠져나와 이제 더는 가족들의 얼굴이 보이지 않자 양쪽 볼엔 중력을 이기지 못한 눈물이 나도 모르게 흐르고 있었다. 울고 있다고 인식하지도 못할 새 울고 있었다. 휴지를 꺼내 닦을 새도 없이 후두둑 떨어져 버리는 눈물에 당황하고, 다른 승객들이 보지 않게 고개 숙여 소리 없이 헉헉대며 우느라 바빴다. 아침 드라마 주인공이 따로 없다. 누가 보면 영영 돌아오지 못하는 곳이라도 가는 줄 알 정도로 계속 울었다. 맨 앞자리에 앉았으니 아마 기사님은 거울 너머로 흐느껴 우는 나의 모습을 보셨을 것이다. 누가 보건, 누가 듣건 그건 중요하지 않았다. 이제 이곳을 떠나 사랑하는 가족들을 볼 수 없고, 내 나라가 아닌 남의 나라에서 이방인으로 살아가야 한다는 사실만이 중요했다.

그렇게 고속도로를 달리고 달려 휴게소에 잠깐 들른 후 인천 국제공항에 도착했다. 버스에서 내리고 보니 내 옆엔 함께 여행가는 가족, 친구가 아닌 얄미운 캐리어 두개가 놓여있었다.

항상 즐겁고 설레는 마음으로 왔던 공항은 나니아 연대기의 장롱문처럼 한번 열면 전혀 가보지도 들어보지도 못한 세계가 펼쳐지는 무시무시한 관문이 되어 다가왔다.

모든 것은 처음이었다. 수하물을 기계에 올려다시 한번 무게를 확인하는 것도. 체크인을하는 것도. 공항 식당에서 마지막으로 자극적인 한국음식을 고르고 골라 먹는 것도. 내딛는 발걸음 모든 것이 처음이었다. 만 24살이 된 이때까지 이 모든 걸 누군가 대신해주었다는 사실에 창피하기도 했지만 이제부터라도 스스로 해간다는 생각에 또 으쓱하기도 했다. 그렇게 출국장을 나서고, 미처 챙기지 못한 로션을 면세점에서 허겁지겁 산 뒤(몇 번이고 확인했는데 꼭 빼놓은 게 있다) 친구들과 이별 통화를 하니 어느덧 정말 떠나야만 하는 시간이 되었다.

"이제 드디어 간다. 잘 있어라. 모두"

하이, 봉주르

두 번의 기내식과 한 번의 간식, 영화 보헤미안 랩소디를 한 번 더 보고, 기내 잡지를 뒤적뒤적하니 어느덧 비행기는 중간 경유지인 밴쿠버 공항에 도착했다. 내가 갈 곳은 빅토리아. 빅토리아는 캐나다 대륙이 아닌 밴쿠버섬 남단에 위치한 작은 도시다. 한국에서 빅토리아로 가는 직항편은 없어서 밴쿠버를 경유해 가야만 했다. 열 시간이 훌쩍 넘는 비행시간 동안 한숨도 자지 못한 나는 탈수가 덜 돼 축 처진 빨래처럼 힘

빠진 몸으로 입국 수속을 하기 위해 이동했다. 그곳엔 머릿속으로 상상했던 수속 창구 직원은 없고 '키오스크'라고 불리는 수 십 대의 기계들이 낯선 이방인들을 반겨주고 있었다.

키오스크라면 푸드코트에서 음식 시킬 때나 해봤던 나의 어벙한 모습을 안쓰럽게 본 공항 직원의 도움으로 겨우 첫 번째 관문을 통과했다. 그건 시작에 불과했다. 모든 게 끝난 줄 알고 안도하고 있던 내 앞엔 매일 반복되는 일상에 지칠 대로 지쳐 키오스크보다 더 로봇처럼 보이는 직원이 지키고 있었다. 극도로 긴장한 나에게 그가 던지는 간단한 질문은 마치 외계어 같았고 식은땀을 삐질삐질 흘려가며 답한 후 힘겹게 모든 관문을 통과할 수 있었다. 기쁨과 안도감은 오래 가지 못했다. 나에겐 당장 수행해야 하는 두 가지 미션이 있었기 때문이다.

'이민국에서 Work Permit 받기'
'빅토리아행 국내선 항공기에 탑승하기'

마치 처음 걸음마를 뗀 어린아이처럼 모든 세상이 신기해 보이고 무서워 보였다. 주변을 아무리 둘러봐도 지금껏 내가 봐왔던 세상과는 다른 세상이었다. 이곳에서 나를 도와줄 사람은 단 한 명도 없을 것 같았다. 그런 내가 안쓰러워 보였던지 (날 안쓰럽게 봐준 사람들이 많다) 공항 직원은 무슨 도움이 필요하냐며 물었고 "이민국으로 가려면 어디로 가야 해요?"라고 어린아이가 질문하듯 물었다.

백발의 할아버지 직원은 그 누구보다도 친절하게 "저기 표지판 보이지? 그것만 보고 쭉 가. 그리고 코너를 돌면 오른쪽에 있을 거야. 혹시라도 가다가 모르면 다른 직원한테 물어봐. 잘 알려줄 거야."라고 말했다. 할아버지의 말대로 표지판만 보고 갔다. 다행히 얼마 되지 않아 이민국 앞에 도착했고 직원이 안으로 들어오라 손짓했다.

"Hi, Bonjour"

'캐나다는 영어, 프랑스어를 공용어로 쓴다더니 진짜구나.'라는 생각도 잠시, 이민관과 나 사이엔 긴장감이 맴돌았다. 완벽하게 모든 서류를 준비했고 아무런 잘못도 저지르지 않았지만 뭔가 죄지은 듯한 느낌이 드는 건 어쩔 수 없었다. 혹시 뭐라도 잘못될까 싶어 이민관의 입꼬리가 움직일 때 내 눈꼬리도 함께 움직였다. 하지만 생각보다 빨리 수속은 끝이 났고 나는 1년간 캐나다에서 합법적으로 일하고, 여행할 수 있는 비자를 받게 되었다. 마치 지폐처럼 조금은 오돌토돌 하고 빳빳한 종이를 이리 보고 저리 보며 이 종이 한 장을 받기 위해 고생하고 맘 졸였던 나 자신을 스스로 위로했다.

그 순간을 여유롭게 누리기엔 주어진 시간이 너무나도 짧았다. 빅토리아행 비행기 출발 시간에 늦지 않게 움직여야만 했다. 그래도 몇 시간 전 처음 발을 내디뎠을 때보다는 적응이 되었는지 그리 어렵지 않게 탑승 장소에 도착했다. 그제야 주위를 찬찬히 둘러볼 여유가 생겼다.

공항이 마냥 신기했는지 엄마 주변을 맴돌며 이리저리 뛰놀던 아이. 따뜻한 커피 한 잔과 함께 신문을 읽던 노신사. 영화에서 보던 모습이 눈앞에 펼쳐졌다. 노신사가 마시던 커피가 맛있어 보였던 나는 캐나다에서의 첫 커피 주문에 도전했다. 컵에 적힌 상호를 자세히 보니 그 유명한 캐나다의 국민 커피 브랜드 '팀홀튼'[1] 이었다. 인터넷 카페 글로만 봤던 팀홀튼을 실제로 보니 앞으로 수십 번, 수백 번 볼 거라고는 생각하지 못한 채 카페 앞에서 연신 사진을 찍어댔다. 그리고 두근두근 캐나다에서의 첫 주문에 나섰다.

자신 있게 "아메리카노 한 잔이요!"라고 웃으며 주문했지만 직원은 알아듣지 못한 듯 보였다. 속으로 '내 발음이 좋지 않아서 그런 건가?'라고 생각해 "어-뭬리카너 한 잔이요!"라고 다시 한번 말했다. 그제야 직원은 "우리 매장엔 아메리카노 없어. 너 블랙커피 말하는 거야?"라고 퉁명스레 답했다. 메뉴판을 다시 보니 정말 아

[1] 캐나다에 스타벅스 없는 곳은 있어도 팀홀튼 없는 곳은 없다고 할 정도로 많은 체인점이 있는 국민 커피 브랜드. 곧 한국에도 진출한다고 한다.

메리카노는 없고 'COFFEE'라고 적혀있는 메뉴만 덩그러니 있었다.

'거참 모를 수도 있지. 좀 친절하게 말해주면 어디 덧나나.'라는 마음의 소리를 곱씹었지만, 물론 마음의 소리는 마음의 소리일 뿐이다. 아무렇지 않다는 듯 웃으며 "땡큐"라 말했고, 그제야 내 손엔 아메리카노처럼 생긴 블랙커피가 들려있었다. 곧 타게 될 비행기를 차창 너머로 바라보며 비련의 영화 주인공처럼 커피를 마셨다.

'커피 한 잔도 시키기 힘드네.'

따뜻한 커피를 홀짝대니 어느덧 탑승 시간은 다가왔고, 한국에서 타고 왔던 비행기보다 훨씬 작은 경비행기에 올랐다. 밴쿠버 공항에서 빅토리아 공항까지는 약 30분. 서울에서 제주도 가는 것보다 짧은 시간을 하늘에서 보내자 드디어 최종 목적지는 그 모습을 드러냈다.

잘 부탁해 캐나다, 잘 지내보자 빅토리아!

임시숙소 부적응자

빅토리아에 밤늦게 도착해 다른 일정 없이 예약한 숙소에 무사히 가기만 하는 것이 첫 목표였는데 그 목표는 다행히 성공했다. 구글 지도를 이리 돌리고 저리 돌려서 숙소에 도착했고, 수속까지 완벽하게 해냈다. 예약한 숙소는 1891년에 지어진 유서 깊은 건물에 위치한 호스텔이었다. 그 역사를 방증하듯 호스텔 곳곳에는 세월의 흔적이 묻어 있었고 그런 모습은 지금 아무리 흉내 내려 해도 할 수 없는 것이었다.

내가 묵은 방 기준으로 6인 1실에 부엌과 샤워실은 공용, 아침과 저녁 식사는 무료 제공(저녁까지!)이라는 엄청난 조건의 숙소에서 2주간 지낼 생각을 하니 들뜨기도 했다. 하지만 비행기에서 한숨도 자지 못해 지칠대로 지친 나는 바로 잠을 이뤘다.

아니,
이루려고 노력했다.

그저 잠을 자고 싶었을 뿐이다. 하지만 그건 너무 큰 꿈이었다. 거의 뜬눈으로 밤을 지새웠다. 가족이나 친구들이 보고 싶다는 아름다운 이유였으면 좋았으련만 안타깝게도 아니었다. 이유는 다름 아닌 같은 방을 쓰는 백인 할아버지의 엄청난 코골이. 이 호스텔은 나와 같은 여행자를 대상으로 하기도 하지만 자세히 살펴보니 긴 기간을 예약해 값을 지불하고 집처럼 사시는 분들도 꽤 되는 곳이었다. 아마 그 백인 할아버지도 그런 분이셨던 것 같은데, 첫인상은 우리가 다 아는 그 치킨집 입구를 지키는 푸근한 느낌의 할아버지였다. 하지만 할아버지는 코골이로도 모자라 틈날 때마다 방귀까지 뀌시는 엄청난 생리현상을 보여주셨다. 그것들은 내가 감당하기엔 많이 버거웠다.

문제는 이것만이 아니었다. 무료로 제공된다던 저녁 식사는 기대했던 것에 한참 미치지 못했다. 카레도 아닌 것이 수프도 아닌 것이 후 불면 날아갈 것 같은 쌀과 함께 먹는 음식이었는데 아무리 그 음식에 입맛을 맞추려고 해도 맞춰지지 않았다. (이때만 해도 외국 음식에 대한 눈이 덜 떠질 때였다) 이런저런 이유로 나는 부적응자가 되어버렸고, 고민 끝에 남은 예약 기간을 취소하기로 마음을 먹었다.

용기를 내 1층 데스크로 내려갔다. 버벅거리는 영어로 "저... 남은 기간 취소하고 싶은데... 얼마 돌려받을 수 있을까?"라고 세상에서 가장 밝고 순진한 웃음과 함께 물어봤다. 돌아온 대답은 내 미소의 대가로는 맞지 않았는데, "취소? 그래 해줄게. 근데 돌려줄 수 있는 돈은 없어."

'?'

그때 느꼈던 당황, 황당, 당혹, 놀람의 감정은 지금 이 순간도 잊을 수 없다. 나는 되물었다. "아니, 잠깐만. 뭐라고? 왜? 도대체 왜? 그 기간을 아직 살지도 않았는데 왜 돈을 받을 수 없다는 거야?" 그랬더니 직원이 조금 전 내가 웃었던 것처럼 환하게 웃으며 "네가 예약하기 전에 읽었던 우리 환불 규정에 그렇게 쓰여있어. 안타깝지만 어쩔 수 없어. 미안해. 취소는 방금 됐어. Have a good day!"

조금만 더 참아볼 걸 그랬다. 아니 조금 더 참았어야 했다. 할아버지의 코골이도, 방귀 냄새도, 이름 모를 그 음식도 말이다. 단 한 번도 와본 적 없는 외국의 오래된 호스텔에서 무슨 편안한 삶을 기대했었는지는 나도 잘 모르겠다.

그저 안정적인 '집'을 구해서 '내 방'을 갖고 싶다는 생각이 너무 컸었던 것 같다. 욕심이었다. 하지만 불행 중 다행인 건 임시 숙소에서 지낸 짧은 며칠 새에 마음에 드는 집을 생각보다 빨리 찾았다는 것이다. 덕분에 '갈 곳은 있는 방랑자'가 되어 숙소를 떠날 수 있었다. 잃어버린 십만 원의 아쉬움은 그대로 두고 말이다.

"할아버지 아무리 그래도 방귀는 너무 하잖아요."

자, 이제 시작이야 내 꿈을~

짧은 임시숙소 부적응기를 마치고 찾은 캐나다에서의 첫 집! 원래는 홈스테이를 하려고 한국에서 집주인들과 많은 약속을 잡아놓고 온 상태였다. 실제로 몇 집을 둘러보긴 했지만, 살인적인 가격에 빠르게 포기했다. 그 대신 새로 알게 된 '룸 렌트'를 하기로 마음먹고 셰어하우스를 구했다. 위치도 다운타운을 걸어서 갈 수 있는 곳이었고, 가격도 나름 저렴해서 계약을 서둘러 진행했다. 한국에서도 혼자 해 본 적 없는 집 계약을 외국에서 하려니 여간 어려운 게 아니었다. 다행히 별 탈 없이 계약을 끝마친 나는 생애 첫 3명의 외국인 룸메이트들을 얻게 되었다.

첫 번째 Z. 인도 출신 남자. 집 근처 예술학교에서 그림을 전공하는 형님이다. 어딜 가나 그곳의 우두머리를 파악하는 게 중요한데, 누가 봐도 이 집의 우두머리는 이 형님이라는 걸 단번에 알아챘다. 일단 지낸 기간도 제일 길었을 뿐더러 가장 중요한 점은 '와이파이 공유기 주인'이라는 것이다. 집 월세에는 인터넷 사용료가 포함되어 있지 않아 인터넷을 사용하려면 공유기 주인인 Z에게 따로 돈을 내야만 했다. 첫 만남부터 환한 얼굴로 인사해 주던 Z에 대해선 뒤에 더 자세히 설명할 예정이다.

두 번째 J. 멕시코계 캐내디언 여자. 빅토리아 대학교에서 언어학을 전공하고 갓 졸업한 친구다. 이 친구 역시 항상 밝은 모습이었는데, 나에게 첫 직장을 선물해준 아주 소중한 은인이다.

하지만 아쉽게도 그렇게 친해지진 못했다. 그 이유도 뒤에서 자세히…

세 번째 O. 캐내디언으로 추정되는 남자. 나이 모름. 직업 모름. 여자 친구가 거의 살다시피 할 정도로 자주 옴. (월세를 더 내야 하는 게 아닌가 싶을 정도) 그리고 나랑 한 번 싸움. 여기까지.

한 지붕 아래 각기 다른 3명과 살 게 된 나는 미드에서 본 것처럼 외국인 친구들과의 생활을 기대하며 캐나다에서의 첫 시작을 하게 되었다. 앞으로 벌어질 진짜 파란만장한 일들은 예상하지 못한 채…

외국에선 바보가 되는 건가?

집을 구한 후 당장 덮고 잘 이불조차 없어 다른 일은 제쳐두고 근처 마트부터 가야만 했다. 당연히 도와줄 사람도, 차도 없었기 때문에 며칠에 걸쳐 혼자 아등바등 장을 봤다. 하루하루가 시트콤이었던 나날이었지만 가장 바보 같았던 첫날을 이야기하려 한다.

말로만 듣던 월마트에 가는 길이었다. 일단 규모로 봤을 때 빅토리아에서 가장 큰 마트이다.

화개장터 급으로 없는 것 빼고 다 있다고 할 수 있을 정도로 다양한 물건을 판매해 아무것도 없는 나에게 딱 이라고 생각했다. 하지만 가는 길은 그리 호락호락하지 않았다. '외국에서는 원래 장 하나 보는 것도 이렇게 어려운 건가?'라는 생각이 들 정도였으니 말이다.

여기서 미리 한가지. 나는 군대에서(군대 얘기는 하고 싶지 않지만, 이것만큼 좋은 예가 없다) 분대장 파견 교육 때 독도법[2] 만점을 받은, 나름대로 지도 좀 볼 줄 아는 놈이다. 창피하지만 자랑 아닌 자랑을 한 이유는 얼마나 바보가 되었는지 말하기 위해서다.

한국에서 늘 그래왔던 것처럼 호기롭게 구글 지도에 '월마트'를 검색하고 찾아갔다. 계속 걸었다. 걷고 또 걸었다. 핸드폰을 이리 돌렸다, 저리 돌리기를 반복하며 걸었지만 뭔가 제자리를 맴도는 느낌이었다. 잠시 생각한 끝에 이대로는 안 되겠다 싶어서 주변 버스 정류장을 찾

[2] 지도를 보고 해석하는 법

았다. 다행히 멀지 않은 곳에 있어 버스를 타려는 찰나 이곳은 후불 교통카드를 쓸 수 있는 곳이 아니라는 것을 그제야 알아챘다. 부랴부랴 캐나다에서 버스 요금을 내려면 어떻게 해야하는지 인터넷 검색을 했다. 방법은 간단했다. 버스 기사님에게 직접 정확한 요금을 지불하거나(거스름돈은 받을 수 없다), 편의점에서 교통권을 사는 것인데 마침 또 잔돈이 없었던 나는 주변에 가까운 편의점이 있는지 찾아야만 했다. 아무리 찾아봐도 근처에 편의점은 없었다. 그나마 가장 가까운 곳은 집 근처에 있었는데 집으로 돌아가기엔 이미 너무 와버린 후였다. 할 수 없이 버스 타는 것을 포기해야만 했고 버스 타는 법만 알아낸 채 또다시 걸어야만 했다.

걷다 보니 다행히 목적지 근처에 다다르는 듯했다. 그런데 여기서 또 문제가 발생한다. 월마트라는 간판은 분명히 눈앞에 떡하니 보이는데 마트로 들어가는 입구가 보이질 않는 것이다. 이리 보고 저리 봐도 주차장 입구만 보이고 사람이 들어갈 수 있는 입구는 보이질 않았다. 위로도 가보고, 아래로도 가보기를 몇 번 반복하다가 다시 원위치로 돌아와서 보니, 주차장 입구 옆에 조그맣게 사람이 들어갈 수 있는 출입구가 있었다. 분명히 아까도 자세히 봤었는데 왜 보이질 않았을까. 지금도 의문이다. 우여곡절이 뭔지 몸소 체험한 후 마트에 들어섰을 때 이미 나는 가진 모든 힘을 땅에 내팽개쳐 버렸을 때였다.

하지만 그대로 주저앉아 있을 시간은 없었다. 필요한 것들이 산더미였기에 마트 구석구석을 누비며 카트에 마구잡이로 담아댔다. 이때도 조금 생각을 하고 담았어야 했는데, 그저 눈에 '필요하겠는데?' 싶으면 전부 카트에 담았다. 그 짐들을 들고 다시 집으로 돌아가야 한다는 생각은 하나도 하지 않은 채 말이다. 생각 없이 해버린 행동은 나중에 큰 화를 부른다는 걸 뒤늦게 깨달았다. 계산을 마친 후 내 앞에 쌓인 짐들은 혼자 들고 가거나, 버스를 타고 가기엔 절대 불가능했다. 허탈한 웃음을 지으며 택시 타는 곳으로 짐을 하나둘 옮겼고, 그렇게 캐나다에서 처음 택시라는 걸 타보게 됐다. 경험은 소중하니까 괜찮다.

택시 기사님도 내 엄청난 짐에 놀라셨는지, 짐 신는 걸 도와주시다가 이것, 저것 질문을 하셨다. 어디서 왔냐, 무슨 비자냐, 언제 도착했냐 등등. 몸은 지칠 대로 지친 상태였지만 아저씨와의 대화가 꽤 재밌었던 나는 아는 단어를 총동원해 대화를 나눴고 그러다 보니 어느새 집에 도착했다. 며칠 살지도 않았는데 시골 할머니 집에 온 것처럼 정겨웠다. 친절하게 짐을 내리는 것까지 도와주신 기사님께 팁도 넉넉히 드리고 방에 들어온 후 침대에 뻗어버렸다. 그리고 생각했다. 지나친 호기로움은 생각보다 큰 수고로움을 동반한다는 것을 말이다. 다음엔 미리 생각을 조금 더 하고 움직여야겠다.

여긴 외국이니까!

알바몬으로 알바천국에 살고싶어

많은 분이 이미 워킹홀리데이에 관해 잘 알고 계시리라 생각되지만, 그래도 혹시 모르는 분들을 위해 짧게 설명해 드리면, '워킹홀리데이는 협정 체결 국가 청년들에게 상대 국가에서 체류하면서 관광, 취업, 어학연수 등을 병행하며 현지의 문화와 생활을 경험할 수 있는 제도이다.' 라고 외교부는 말하고 있다. 외교부 산하 '워킹홀리데이 인포센터'의 설명을 빌리자면 '넓은 세계에서 Working!, 기억에 남는 Holiday!'

로 아주 짧지만 강렬하게도 표현 할 수 있다. 그래서 나는 그 취지에 맞게 1년간 즐겁게 여행할 것이고, 그 여행을 위해 열심히 일해야만 했다. 이번엔 내가 일을 시작하게 된 이야기를 하려 한다.

집을 구한 후 집 주변 이곳저곳을 둘러보며 동네 구경을 며칠 한 나는 더 이상의 무급 휴가는 생존의 문제가 있다는 판단에 빨리 일을 구하기로 마음을 먹었다. 캐나다는 한국과는 조금 다른 방식으로 사람을 뽑는다. (물론, 이건 나의 개인적인 경험이기 때문에 직업군에 따라서, 지역에 따라서 다를 수 있다) 일단 기본적으로 이력서에 사진을 붙이지 않는다. 한국에서는 아르바이트를 위한 이력서에도 사진을 꼭 붙여야만 했는데, 당장 이력서를 내야 하는 상황에 붙일 사진이 없어서 애먹었던 적이 한두 번이 아니었다. 하지만 캐나다 이력서에는 사진 붙이는 공간이 아예 없고, 본인 이메일, 주소, 휴대전화 번호 등 개인 정보를 기본적으로 적은 뒤, 그 아래에 학력이나 이력, 자신만의 강점을 쓰면 끝이다. 어찌 보면 우리나라보다 간단하다고 느껴질 만큼 단출한 이력서가 완성되는 것이다.

문제는 이제부터 시작이다. 캐나다에도 물론 우리나라의 알바몬이나 알바천국처럼 일자리를 구하는 인터넷 사이트가 있지만, 그 사이트에 올라와 있는 구인 글만 바라보고 있으면 일자리 구하기가 100배는 더 어려워진다. 그보다 직접 이력서를 들고 나가 매장을 돌아다니며 “나 좀 뽑아주세요!”라고 이야기하는 편이 훨씬 좋다.

길을 걷다 보면 매장 유리에 ‘Help wanted’나 ‘We’re hiring!’이라고 써 붙인 곳들을 심심치 않게 볼 수 있다. 그런 매장에 들어가서 준비한 이력서를 내면 끝! 참 간단하다. 하지만 그 간단한 것이 나에겐 쉽지 않았다. 솔직히 말하면 매우 어려웠다. 일단 직접 이력서를 들고 매장에 들어가 본 경험 자체가 없었을뿐더러, 다른 사람과 영어로 말하는 것도 어려웠다. 하지만 캐나다까지 와서 소심하게 문 앞만 서성거릴 수는 없었다. 정말 큰맘 먹고 마치 콜럼버스가 신대륙에 첫발을 내 딛듯, 첫 매장에 발을 내디뎠다.

'Rise & Grind'라는 이름의 카페였는데, 멋진 턱수염을 가진 남자 사장님이 있었다. 그는 당연히 내가 손님인 줄 알았겠지만, 내 손엔 이력서와 한국에서 미리 만들어온 명함이 들려있었다. 수줍게 "혹시 지금 사람 구하시나요?"라고 밝고 순수한 미소를 지으며 물었다. 돌아온 대답은 "음 아직 뽑지는 않는데, 일단 너 이력서를 좀 볼 수 있을까?"였다. 망설임 없이 이력서 한 장과 명함 한 장을 같이 내밀었다. 첫 반응은 상당했다.

명함을 보고는 아주 놀라면서 "오우 맨! 이런 걸 받은 건 처음이야!"라는 감탄 섞인 반응을 보였다. 내가 지내는 집이 카페에서 아주 가까워 좋다느니, 카페에서 일한 경력이 있어 좋다느니 사람 설레게 하는 말들을 쏟아냈다. 사실 그 자리에서 취업이 된 줄 알았다. 그만큼 분위기가 너무 좋았다. 서로 웃으며 마지막으로 악수를 하고 가게를 나선 나는 없었던 자신감이 샘 솟기 시작했고, 구인 글이 붙어 있지 않은 가게의 문도 거리낌 없이 열어댔다.

이틀 동안 스무 곳 가까이 되는 카페와 식당에 이력서를 냈다. 그리고 연락을 기다리기로 마음먹었다. 사실 이만하면 충분하다는 생각도 했었고, 스무 곳 중의 한 곳이라도 연락이 오지 않겠나 싶었다. 게다가 3월의 빅토리아는 생각보다 상당히 추워서 이력서 돌리는 일은 자의 반 타의 반으로 멈출 수밖에 없었다. 그렇게 하루가 지나고, 이틀이 지나고, 삼 일이 지나도 그 어느 곳에서도 연락은 없었다. 내 손을 붙잡고 웃어주시던 사장님, 갑작스러운 면접으로 나를 당황케 한 사장님, 어머니와 같은 따뜻한 미소로 직접 나가는 문까지 열어주시던 사장님. 그 어느 분에게서도 나를 뽑겠다는 연락은 오지 않았다.

당연히 좌절했고 마음은 조급해져 갔다. 초기 자금을 넉넉히 챙겨 오지 않았던 나는 빨리 일을 구해 돈을 벌어야겠다는 생각뿐이었다. 그런 생각에 갇혀 결국 캐나다에 오기 전 스스로 했던 다짐까지 깰 위기에 처해있었다.

두 가지를 다짐했었다. 첫째는, 취업이 잘되지 않아 마음이 다급해지더라도 한인 식당에 지원하지는 말자. 그리고 두 번째는, 현지 한국인 커뮤니티에 들어가지 말자.

한인 식당이 나쁘다는 것도 아니고 외국에서 한국인들과 함께지내는 게 나쁘다는 것도 절대 아니다. 오히려 타지에서 먹는 한국음식은 더 달콤할 것이고, 말이 통하고 정서가 비슷한 한국인들과 이야기 하는 것은 외로움을 달래줄 특효약과 같을 것이다. 개인적으로 조금이라도 현지인들과 함께 생활하고, 그들의 틈으로 들어가 '그들처럼' 생활해보고 싶었다. 그런데 그 다짐들이 깨질 위기였다. 아무 곳에서도 연락이 오질 않으니 나의 눈은 자연스레 한인 식당 유리창에 한글로 적힌 '서버 구해요!'로 향할 수밖에 없었다. 마음속으로 수십 번, 수백 번 고민했지만, 아직 시작도 채 하지 않았는데 처음부터 다짐을 깨고 싶지는 않아 다행히 그 문을 열고 들어가지는 않았다.

그러길 며칠, 여느 날과 다름없이 이력서를 돌리고 언제쯤 연락이 올까 하염없이 기다리고 있었는데, 인도 형님 Z가 내가 아직 만나지 못한 룸메이트를 소개해 주겠다며 멕시코계 캐내디언 J를 내 방 앞으로 데려왔다. 우리 둘은 어색하지만 밝게 인사하고 이런저런 가벼운 얘기들을 나눴다. 그런데 갑자기 Z가 J에게 내가 일을 구하고 있다고 얘기하면서 "네가 일하는 데도 사람 구한다고 하지 않았어?"라고 하는 것이다. 그 말을 듣고 J를 자세히 보니 그녀는 어디에선가 일하고 방금 퇴근한 듯 보였고, 입고 있던 티셔츠는 매장 유니폼 같았다. Z의 말을 들은 J는 "맞아! 우리 매장에서 지금 사람 구해! 너 한국인이라고 했었나? 우리 매니저도 한국인인데! 아마 싸우쓰 맞을껄? 아 근데 넌 싸우쓰야 노쓰야?"라고 말했다. 외국에서 한국인이라고 하면 남한 출신인지 북한 출신인지 묻는 게 1순위 질문이었기에 당황하지 않고 "싸우스"라 답했다. "그나저나 네가 일하는 곳은 어딘데?"라고 물었고, J는 "나 자니로켓에서 일해!"라고 답했다. '자니로켓? 그거 들어본 거 같은데. 한국에도 있는 햄버거집 아닌가? 근데 매니저가 한국인이라고? 그럼 좀...'이라고 스스로 결론을 내려버렸다.

하지만 선의로 나에게 제안해준 그녀의 면전에 대고 마음 그대로 표현할 수는 없었다. 얼떨결에 "기회 되면 매니저에게 말해 줄 수 있어?"라고 말해버렸다. 그렇게 나와 J의 첫인사 겸 인사청탁은 끝이 났고 며칠 동안의 구직에 지칠 대로 지친 나는 방으로 들어와 내일은 또 어디에 지원해야 하나 고민을 한가득 안고 잠을 이뤘다.

다음 날.
아침 일찍부터 문자 한 통이 왔다. 발신인은 J.

'우리 매니저가 너 한번 보고 싶데. 오늘 이력서 들고 매장으로 와!'

이럴 수가. 일이 커져 버렸다. 그저 J의 호의를 무시할 수 없어 한 이야기였는데 J는 매니저에게 다음날 바로 이야기를 해줬다. 지금 생각하면 참 고마운 일이지만 그때 당시에는 이러지도 저러지도 못하던 상황이었다. J의 호의를 외면할 수는 없어 이력서를 들고 J가 알려준 매장으로 찾아갔다. 매니저와의 짧은 인사와 동시에 면접은 시작됐다.

사실 면접까지 바로 하는 줄은 모르고 간 터라 아무런 준비가 돼 있지 않았는데 매니저는 그 자리에서 면접을 진행했다. 속사포 같은 질문들이 던져졌다. 이곳엔 왜 왔니, 비자 만료일은 언제니, 여행 계획은 있니, 한국에서 아르바이트

하면서 힘들었던 점은 뭐니, 네가 생각하는 팀워크란 뭐니, 등 면접은 30 여분 동안 진행되었다. 나는 어떻게 답했는지 기억나지 않을 정도로 긴장했다. 알고 보니 매니저는 캐나다에 이민 온 지 30년이 넘은 교포였고, 한국에서 산 시간보다 캐나다에서 산 시간이 훨씬 길었다.

결과는 그 자리에서 바로 나왔다. 캐나다에서의 첫 직장을 갖게 된 것이다. 자신감 있는 모습이 보기 좋다며 곧 스케줄 표를 보내주겠다는 말과 함께 숨 막혔던 면접은 끝이 났다. 성공적으로 면접을 마치고 난 후 카운터에서 일하던 J에게 '나 붙었어!'라고 눈빛으로 말했다. 매장을 나온 후 벤치에 앉아 깊은 숨을 내쉬고 멍하니 하늘만 바라봤다. '정말 붙었구나.'라는 생각과 동시에, 태어나서 처음 온 나라에서 직장을 구한 나 자신이 너무 대견했다. 집으로 돌아가는 길에 기쁜 마음으로 가족들에게 전화했다. 마치 초등학생이 받아쓰기 백 점 맞았다고 자랑하듯 말이다. 그때 집으로 돌아가던 발걸음은 아마 세상에서 제일 가벼운 발걸음이었을 것이다.

첫 시작이 좋다.

햄버거, 햄버거, 햄버거,
햄버거, 햄버거...?

한국에 있을 때도 햄버거를 즐겨 먹지 않았다. 가끔 롯데리아 새우버거나 맥도날드 빅맥을 먹는 정도였다. 캐나다에서는 달랐다. 정확히 말하면 달라져야만 했다.

내 이야기를 나누기 전 여러분께 질문을 먼저 드려볼까 한다. "캐나다의 전통음식에는 뭐가 있을까?" 캐나다에 대해 평소 관심이 있는 분들이라면 아마 '푸틴(Poutine)'을 떠올릴 것이다.

그렇다. 퀘벡 지방에서 처음 시작된 푸틴은 오늘날 캐나다 전역에서 맛볼 수 있는 '캐나다의 상징'과도 같은 음식이다. 그리고 그 다음은? 대부분 고개를 갸우뚱하며 머뭇거리리라 생각된다. 물론 나도 그랬다. 캐나다는 우리가 중고등학교에서 배웠듯이 신대륙 발견에 의해서 시작된 나라이다. 물론 '캐나다'라는 나라가 만들어지기 이전에 선주민(Indigenous People)이 살고 있긴 했지만 다른 아시아나 유럽의 나라들처럼 긴 역사를 가지고 있지는 않다. 그러니 자연스럽게 '전통음식'이라고 일컬을 수 있을 만한 음식도 다양하지 않은 것이다. 이들의 주식은 우리가 흔히 아는 햄버거, 피자, 그리고 다양한 종류의 빵들이다. 다인종, 다민족, 다문화 국가인 만큼 다양한 출신의 이민자들이 가지고 온 그들의 음식도 주식이라고 할 수 있겠다.

다시 본론으로 돌아와서, 나는 '햄버거 레스토랑'에서 일을 하게 됐다. 카페에서 일하면 커피를 많이 마시게 되고, 한식당에서 일하면 한식을 많이 먹게 되듯이, 햄버거 레스토랑에서 일하면 자연스럽게 햄버거를 많이 먹게 된다. 처음엔 먹을 만했다. 사실 먹을 만한 수준을 넘어 맛있었다. 한국에 있을 때 백화점이나 아웃렛에서 자니로켓을 본 적은 있지만 뭔지 모르게 비싸 보여 먹어본 적이 없었던 나로서는 직원 할인 50%라는 엄청난 혜택이 주어지는 이곳에서 그동안 못 먹었던 햄버거를 마음껏 먹었다.

직원들끼리 서로의 식사를 만들어 줄 때가 되면 따로 말하지 않아도 안다. '치킨은 큰 거, 소스 많이.' 그렇게 가성비 좋은 햄버거를 매일 같이 먹다 보면 '아 진짜 내가 북미에 오긴 왔구나.'라는 생각이 절로 든다. 하지만 그것도 몇 주면 한계에 다다른다. 아무리 맛있는 음식이라도 자주 먹으면 질리는 법인데, 그닥 좋아하지도 않는 햄버거를 거의 매일 먹다 보니 몸에서 받아 주질 않는 것이다. 의지의 한국인 아니던가. 햄버거에 지지 않기 위해 갖가지 방법을 동원했다. 기존 레시피와는 다르게 소스도 바꿔보고, 패티도 추가해 보고, 빵 종류도 바꿔 봤다. 몇 주간 일하면서 이것저것 시도하며 알게 된, 손님용 메뉴에는 없는 최고의 조합. 이름하여 '직원 시크릿 메뉴'가 탄생하게 되는 것이다.

하지만 햄버거는 생각보다 강력했다. 아무리 이기려 발버둥 쳐도 햄버거의 늪에 빠져버린 나는 쉽게 헤어 나올 수 없었다. 피할 수 없으면 즐기라는 말이 있다. 그래서 즐기기로 마음을 바꿔 먹었다. '손님들이 10 달러, 15 달러씩 내고 먹는 음식을 나는 절반 값에 먹을 수 있잖아! 이런 좋은 기회가 어디 있어?', '탄산이 몸에 좋지 않다고? 그럼 물이랑 같이 먹으면 되지 뭐가 고민이야.' 엄청난 자기 합리화를 하기 시작했다. 스스로 최면을 걸어 뇌가 햄버거를 가장 좋아하는 음식으로 인식 할 수 있도록 노력했다.

그러다 보니 질리다 못해 물리던 햄버거도 나름 맛있게 느껴졌다. 거기서 멈췄어야 했는데 더 나아가 '생각해 보면 햄버거에 5대 영양소가

다 들어있지 않나? 빵, 고기, 야채. 뭐 하나 빠지는 게 없는데?'라는 나만의 이상한 이론을 만들어 내기에 이르렀다. 햄버거는 어느새 '완전한' 음식이 되어있었다.

물과 함께 먹는 햄버거, 감자튀김 없이 먹는 햄버거. 한국에서는 상상조차 하기 힘든 조합이지만, 이곳은 캐나다이기에, 그리고 나는 햄버거 레스토랑에서 일하는 워홀러이기에 모든 것이 다 가능했다.

잊지 마시라.
햄버거는 완전식품이다.

작은 캐나다

캐나다는 다양한 인종이 하나의 퍼즐 조각을 이루며 커다란 모자이크 작품을 만들어 내는 국가다. 그런 캐나다의 특성이 나의 첫 집 'Empress ave.' 집에 고스란히 녹아있다. 1명의 아시안(나), 1명의 브라운, 1명의 멕시코계 캐내디언, 그리고 1명의 백인 캐내디언. 이번엔 그들에 대해 자세히 이야기해보려 한다.

첫 번째로 Z. 앞에서도 간단히 소개했지만, Z

는 인도 출신으로 집 근처 예술학교에서 미술을 공부한다. 나이는 서른한 살. 아마 Empress ave. 집에서 나와 가장 많은 대화를 나눈 친구이지 않을까 싶다. 집 와이파이 공유기 주인으로 Z 없이는 인터넷조차 할 수 없어 더 많이 의지하기도 했지만 말이다.

동서고금을 막론하고 진심이 담긴 선물을 받고 인상을 찌푸릴 사람은 없다. 집으로 이사 온 첫날, Z에게 한국에서 미리 준비해 온 부채를 선물했었다. 한지로 유명한 내 고향 원주에서 직접 공수해온 한지 부채였는데 미술학도인 Z에게 선물하면 딱 일 것 같아 망설이지 않고 건넸다. 반응은 기대 이상이었다. 부채를 받자마자 Z의 눈은 휘둥그레졌고, 예전부터 동양 미술에 관심이 참 많았다며(인도는 동양에 포함되지 않나요?) 한지에 그려진 소나무의 모습이 너무 아름답다고 연신 고마움을 표했다. 작은 부채에 마음이 열린 Z는 자신의 방을 보여주겠다며 나를 불렀고, 그 덕에 처음으로 외국인 친구의 방을 구경할 수 있었다.

미술 전공자인 만큼 방은 그림들로 채워져 있었고, 미처 끝내지 못한 작품들과 미술도구들로 책상은 뒤덮여 있었다. 내가 그림들에서 눈을 떼지 못하자 Z는 서랍 속에 있던 그림, 책장 뒤에 있던 그림까지 꺼내 보여주었다. 그리고 하나하나 그 의미에 관해 설명했다. 그 중 가장 기억에 남는 작품은 인도의 슬픈 현실을 상징적으로 표현한 그림이다. 종교적으로 잘못을 저지른 남녀를 가운데 두고 수많은 군중이 그들을 둘러싸고 있었다. 몇몇 사람들은 손가락질하고, 돌을 던지기도 했다. 그림에 대해 말하던 Z는 어느 때보다 진지했고 깊은 슬픔에 잠긴 듯 보였다. 하지만 이내 웃으며 "이 그림의 모습이 인도의 전부는 절대 아니야. 인도는 정말 아름다워!"라고 자신의 나라에 대한 자부심을 보였다. 그 말을 들은 나는 버킷리스트 중 하나가 인도를 여행하는 것이라며, 인도에 갔을 때 꼭 좋은 가이드가 되어 달라고 부탁했다.

Z는 솜씨 좋은 요리사이기도 하다. 대부분의 끼니를 집에서 직접 만들어 먹었는데, 그럴 때마다 맛보라며 조금씩 나눠주던 인도 음식은 정말 환상적이었다. 인도 사람이 직접 만들어준 인도 음식이라! 생각만 해도 입에 침이 고인다. 집에서 직접 빚은 반죽으로 만든 '난(Naan)'과 함께 먹는 커리. 여러 가지 향신료를 직접 갈아 가루로 만든 뒤 골고루 발라 은은한 불에 구운 소고기. 그 '진짜 인도 맛'은 먹어본 사람만이 알 수 있다.

그에 대한 보답으로 나도 가끔 내가 한 요리를 나눠주곤 했는데, 가장 기억에 남는 건 '달걀말이'이다. 채소를 썰고 달걀을 풀어 섞을 때만 해도 "오믈렛 만드는 거야?"라고 말하며 크게 신기해하지 않던 Z는 둥글게 달걀을 말기 시작하자 "Awesome!"을 외치며 그 모습을 지켜봤다. 신기해하는 그의 모습에 더 신이 난 나는 서둘러 달걀말이를 완성했고 Z에게 한번 먹어보라고 권했다. 살짝 망설인 Z는 "시도해 볼게."라고 말하며 한 입 먹더니 맛있다고 연신 엄지를 치켜세웠다.

'이 맛있는 걸 앞에 두고 망설인다고? 시도해 보겠다는 건 무슨 의미지?'라는 나의 마음의 소리를 들었다는 듯이 Z는 망설인 이유를 설명해 주었다. 이유는 내가 달걀말이에 햄을 넣었기 때문이다. Z는 종교적인 이유로 돼지고기는 먹지 않는데, 햄이 들어간 달걀말이를 먹기 전에 '먹어야 하나, 말아야 하나' 고민했던 것이다. 나는 미처 그 사실을 생각하지 못했고 그를 배려하지 않은 것 같아 연신 미안하다고 했다. Z는 "그건 네 잘못이 아니야. 근데 이것 참 맛있다."라고 말해주며 미안해하는 나를 안심시켰다. 이날 말고도 우리는 가끔 서로의 음식을 나눠 먹으며 훈훈한 생활을 이어갔다. Z는 외로운 캐나다 초기 생활에 큰 힘이 되어준 든든한 형 같은 존재였다.

두 번째로 J. J는 멕시코계 캐내디언으로 빅토리아 대학에서 언어학을 전공하고 갓 졸업한 친구다. 앞서 이야기했듯 나에게 첫 직장을 선물해준 고마운 친구이기도 하다. 하지만 Empress ave. 집에서 지내는 동안 크게 친해지지는 못했다. 이유는 생활 패턴이 아예 달랐기 때문이다. J는 록 음악을 정말 좋아한다. 좋아하는 걸 넘어 록 음악과 사랑에 빠진 것 같다. J의 방을 한 번 구경한 적이 있었는데, 방 안엔 큰 전축과 갖가지 앨범들, 수많은 가수들의 사인이 벽면 한 곳을 꽉 채우고 있었다. 그 순간 J가 얼마나 록 음악을 사랑하는지 단번에 알 수 있었다.

그뿐 아니라, J는 시간이 날 때마다 콘서트, 라이브 바 공연을 보러 갔다. 그 열정을 그곳에서 다 분출하고 오면 좋으련만 집에까지 가지고 온다는 게 문제였다. 더 큰 문제는 열정이 밤까지 이어진다는 것이다. J의 방과 내 방은 얇디얇은 나무 합판으로 만들어진 벽을 사이에 두고 붙어 있다. 그런데 분명 잘 시간인데도 불구하고 그녀의 음악 소리는 끝날 기미가 보이지 않은 적이 많았다. 나는 밤 열두 시에서 한 시쯤엔 잠을 잤는데(그렇게 이른 시간도 아니다) J는 그때 하루를 시작하는 것 같다는 생각이 들 정도였다. 밝은 성격의 그녀 덕분에 즐거운 점도 있었지만 약간 힘들었던 기억이 많은 건 어쩔 수가 없다. 그래도 모두 퇴근한 후에 J의 위스키로 한 잔씩 하며 Z와 함께 나누던 시간은 절대 잊을 수 없다.

마지막으로 O. 이 친구에 대해선 아는 게 많지 않다. 캐나다인으로 추정되고, 나이도 얼추 나와 비슷하거나 조금 어린 것 같다는 것. 여자친구가 거의 집에 같이 살다시피 할 정도로 자주 드나든다는 것. 정도가 내가 아는 전부다. 그보다 가장 중요한 건 나와 싸웠다는 것이다.

'룸셰어'는 말 그대로 각자의 방을 갖되 부엌이나 화장실은 공유하는 주거 형태다. 그만큼 서로에 대한 존중과 배려는 필수 중의 필수다. 하지만 O는 그 선을 지키지 않았다. O가 사용하고 난 후의 화장실은 항상 더러웠고, 부엌 또한 이루 말할 필요가 없을 정도였다. 룸메이트 중에서도 항상 혼자 겉도는 친구였는데, 거실에서 다 같이 위스키 한잔을 할 때조차 함께 하지 않았다.

이제부터가 진짜 최악이다. 그가 내 밥솥을 쓴 것도 모자라 내 쌀에(감히 한국인의 쌀을) 손을 댄 것이다. 그 사실을 알게 된 나는 화를 참지 못하고 혼자 손을 부들부들 떨어가며 어떻게 하면 제대로 내 의사를 전달 할 수 있을까 고민했다. 고민의 고민을 한 끝에 약간은 소심해 보이지만 '쪽지'를 써서 줘야겠다는 생각을 했다. 아무래도 그 모습을 발견한 직후에 찾아가서 이야기하면 감정적으로 얘기할 수 밖에 없을 것 같았고, 무엇보다 영어로 그를 이길 자신이 없었다. 심호흡을 하며 숨을 고르고, 화를 삭인 후 책상에 앉아 차근차근 내가 하고 싶은 말을 적었다. 그리고 그의 방을 찾아가 방문에 붙였다. (다시 생각해보니 조금 많이 소심해 보이지만

그땐 어쩔 수 없었다)

당연히 O가 쪽지를 읽고 내 방으로 찾아와 사과할 줄 알았다. 결과는 예상과 전혀 달랐다. 완전히 말이다. 내 방으로 찾아오기까지가 멀고 험했던지, 내가 쓴 쪽지 뒷면에 대충 휘갈겨 쓴 글씨로 'Come talk to me. We are both adults'라고 적어놓았다. 할 말을 잃었다. 그리고 생각했다. '이 상황을 어떻게 해결해야 하지?'

당당히 그의 방문을 두드렸다. 그러자 양치질을 하고 있던 O가 나왔다. 도대체 왜 양치질을 방 안에서 하고 있었는지는 모르겠지만 급하게 입에 있던 거품을 문 앞 화단에 뱉은 O와 나의 대화는 시작됐다. 나는 말했다. "네가 알다시피 나는 이 밥솥을 매일 사용해. 만약 네가 쓰고 싶었다면 나에게 미리 물어봤어야해. 그리고 왜 내 개인 선반에 있는 물건에 손을 대는지 모르겠어. 어젯밤 바로 이야기하고 싶었지만 너는 여자친구와 함께 있었고, 여자친구 앞에서 싸우고 싶지 않아서 쪽지를 남긴 거였어."

청산유수였다. 문법이 맞는지 틀리는지도 모른 채 생각나는 대로 말했지만, 면접 볼 때는 아무리 생각해도 나오지 않던 말들이 막힘없이 나왔다. 지금 생각해도 그때 말한 영어가 내 감정을 가장 있는 그대로 잘 표현하지 않았나 싶다. 내 말을 들은 O는 사과 비슷한 것을 했다. 분명 미안하다고 하긴 했지만 얼굴엔 미안한 구석이라곤 찾아볼 수 없었다. 내 성엔 차지 않았지만, 어찌되었든 같이 살아야 했기에 이만 멈추기로 했다. 그렇게 우리의 처음이자 마지막 싸움은 일단락됐다. 이 일 이후로, 원래도 어색한 사이였던 나와 O는 더 어색한 사이가 되었지만, 나는 외국이라고 쫄지 않고 내 의사를 당당히 말했던 그 때 그 일을 참 잘했다고 생각한다.

"이 친구야, 아닌 건 아닌 거잖아?"

부산 워킹홀리데이,
캐나다 워킹홀리데이

캐나다에 오기 전 부산에서 일 년 정도 살았다. 큰 이유는 없었다. 그저 여러 번 부산을 여행했었는데, 그때마다 '부산'이라는 도시가 주는 매력에 빠져 한 번 살아보는 게 내 버킷리스트가 되었다. 군 전역 후 전공에 대한 확신이 서지 않은 상태로 복학하고 싶지 않았다. 때는 '이때다!' 싶었다. 곧장 부산으로 내려가 그곳에서 사계절을 보냈다. 나는 그 시간을 '부산 워킹홀리데이'라고 말한다. 워킹홀리데이가 꼭 외국에서 해야만 워킹홀리데이가 되는 것은 아니지 않은가. 부산에서 보낸 시간은 일하고, 여행한 것이기 때문에 너무나도 완벽히 '워킹홀리데이'라는 말을 쓸 수 있었다.

부산에서 지내는 동안 카페, 백화점 등에서 일했는데 휴무 때마다 광안리에 가고, 해운대에 갔다. 나만의 단골집이 생겼고 그저 며칠 묵고 떠나는 여행자였다면 절대 몰랐을 아름다운 곳들도 알게 되었다. 그때 느꼈다. '나는 바다를 좋아하는구나. 여행자들의 발길이 끊이지 않는 곳에 산다는 건 참 매력적이구나.'라는 것을 말이다. 바다를 보면 마음이 편해지고 수많은 걱정, 근심들이 사라지곤 했다. 가끔 들리는 뱃고동 소리는 어디론가 훌쩍 떠나고 싶게 만들었다. 어쩌면 부산에서의 경험이 캐나다라는 머나먼 곳에서의 생활을 시작 할 수 있도록 도와준 디딤돌이 되어 주었다고 해도 과언이 아니다. 캐나다에서 지낼 첫 도시를 정할 때도 부산에서 느꼈던 아름다운 기억들이 크게 도움이 되었다.

부산과 빅토리아는 공통점이 참 많다. 가장 큰 공통점은 두 곳 모두 바다를 낀 항구도시고, 여행자들의 도시라는 것이다. 부산은 두말할 것 없이 우리나라 최고의 항구도시다. 그와 동시에 사계절 내내 수많은 여행자들이 찾는 곳이기도 하다. 빅토리아도 그렇다. 일찍이 모피 산업이 발달해서 다른 지역보다 부유했던 빅토리아는 캐나다 사람들이 은퇴 후 가장 살고 싶어 하는 도시라고 한다. 세계적으로 유명한 부차드 가든을 비롯해 수 많은 관광지가 있고 연중 날씨가 온화해 캐나다 국내를 비롯한 전 세계 각지에서 온 여행자들로 항상 북적인다. 부산과 빅토리아에서 지내며 느낀 두 도시만의 공통된 특징이 있는데, 약간 일반화를 하면 '여행자들이 많이 찾는 도시'가 갖는 특징이라고도 할 수 있겠다.

첫째로 사람들이 친절하다는 것이다. 모르는 사람이 길을 물어볼 때도 친절히 알려주고, 살짝만 눈이 마주쳐도 미소로 인사하는 풍경을 쉽게 볼 수 있다. 물론 부산 사람들을 처음 겪을 땐 강한 사투리와 화끈한 성격으로 당황 할 수 있다. 하지만 조금만 이야기를 나눠보면 그들이 얼마나 정이 많고 구수한 분들인지 알 수 있다. "오다 주웠다." 느낌의 정을 느낄 수 있는 곳이 바로 부산이다. 캐나다 사람들은 기본적으로 친절하지만, 빅토리아 사람들은 정말, 정말, 정말 친절하다. 토론토나 밴쿠버처럼 모든 게 바쁘게 돌아가는 대도시가 아니기 때문에 사람들은 상대적으로 여유롭다. 처음 외국에서 생활하는 나와 같은 사람들에게 빅토리아는 더할 나위 없이 최고의 도시다. 모르는 게 수천수만 가지인 나에게 다들 친절히 다가와 알려주었으니까 말이다.

두 번째 공통점은 아름답다는 것이다. 부산의 유명 관광지인 광안리, 해운대, 감천 문화 마을을 비롯해 내가 찾은 숨겨진 아름다운 곳 다대포 해수욕장과 황령산 봉수대 등(이미 많은 분이 아시겠지만) 부산은 알려진 곳 말고도 숨겨진 아름다운 곳들이 정말 많은 도시다. 빅토리아 또한 그렇다. 빅토리아는 별명이 참 많은 도시인데, 그중 하나가 바로 '꽃의 도시'. 도시는 어딜 가나 형형색색의 꽃으로 가득하다. 특히 이너하버라고 불리는 올드타운으로 가면 웅장한 주 의회 의사당 건물과 The Empress 호텔을 중심으로 아름다움의 끝을 경험 할 수 있다. 그리고 두 번째 별명. '캐나다의 영국'. 도시의 이름에서 알 수 있듯 빅토리아는 영국적인 색채가 아주 강한 도시다. 주 의회 의사당 건물 앞엔 영국 빅토리아 여왕의 동상이 우뚝 서 있고, 빅토리아 시대풍의 건물들이 상당히 많다. 영국의 상징이라고도 할 수 있는 빨간색 이층버스가 도시 곳곳을 누비며 관광객들의 눈을 홀리기도 한다. 캐나다의 프랑스가 '퀴벡시티'라면 캐나다의 영국은 단연 '빅토리아'라고 할 수 있다.

여기에 더해 내가 붙인 또 하나의 별명. 바로 '올드카의 천국 빅토리아'. 흔히 올드카 또는 클래식카 하면 쿠바를 떠올리기 쉽다. 쿠바만큼은 아니지만 빅토리아 또한 형형색색의 올드카들이 거리를 누빈다. 레트로 감성을 좋아하는 나는 올드카만 보면 사진 찍느라 바쁘다. 특히 아름다운 풍경 속에서 달리는 빅토리아의 올드카를 볼 때면 캐나다에 있는 게 맞나 싶을 정도로 외국에서 또 다른 외국을 느끼는 아주 신선한 경험을 하곤 한다.

몇 개월 산다고 해서 완벽히 그 도시, 그 나라의 주인이 될 수는 없다. 하지만 단순히 며칠 묵고 떠나는 여행자의 시선으로만 그곳을 느끼는 것이 아니라 조금 더 여유롭게, 조금 더 가까이 그들과 함께 교감할 수 있는 시간을 갖는 것. 그 시간은 어느 경험보다 기억 속에 더 진한 잉크로 쓰여 오래 남게 될 것이다.

그나저나 지금,
부산 돼지국밥이 너무 먹고 싶다.

‘다름’과 ‘틀림’

여느 날과 다름없이 열심히 일하던 4월 20일. 매니저님이 "오늘 4월 20일 인 거 알아?"라고 물으셨다. 나는 달력을 확인한 후 "네! 오늘 20일 맞아요."라고 대수롭지 않게 대답했다. 처음엔 왜 굳이 오늘 날짜를 물으셨는지 몰랐다. 그리고 한 시간여 뒤, J가 또 물었다. "오늘 무슨 날인지 알아?" 그날이 J의 마지막 근무 날이었기 때문에(그녀는 1년 6개월 정도 일한 자니로켓을 그만두고 우리나라의 배달 앱과 같은 Uber

Eats나 Skip the dishes의 드라이버가 되기 위한 준비 중이었다) 자연스럽게 "너의 마지막 근무 날이잖아!"라고 답했다. J는 그 말을 듣고 한참을 웃은 뒤 "맞아. 근데 너 4월 20일이 무슨 날인지 모르는 것 같은데, 오늘은 마리화나 축제가 열리는 날이야! 공개적으로 마리화나를 다 같이 즐길 수 있다고!"

'마리화나 축제?' 내가 캐나다로 오기 직전 캐나다는 마리화나 흡연이 합법으로 바뀌었고, 길가에서 마리화나를 피우는 모습을 쉽게 볼 수 있긴 했지만 그걸 가지고 축제를 연다니. 나로서는 이해할 수 없었다. 궁금증은 묻어 둔 채 열심히 일했고, 퇴근하자마자 주 의회 의사당 앞 광장으로 갔다. J가 그곳으로 가면 신기한 걸 볼 수 있을 거라고 했기 때문이다. 평소와 다름없이 파란 하늘에 초록 잔디. 어김없이 아름다운 모습의 빅토리아였다. 하지만 사람들이 정말 많았다. 수백, 수천의 사람들이 있는 것 같았다. 저마다 돗자리를 깔고 잔디에 누워서 피크닉을 즐기고 있었고, 어린아이부터 어르신에 이르기까지 나이대를 가리지 않았다. 그 평화로운 모습은 시곗바늘이 4시 20분을 향해 가면서 조금씩 바뀌었다.

사람들은 소리를 지르며 흥분하기 시작했고, 노래를 크게 틀고 춤을 추는 사람들이 곳곳에 생겨났다. 그러길 십 여분. 메인 무대에서 행사를 진행하던 진행자가 카운트 다운을 시작했다.

"10, 9, 8, 7, … 3, 2, 1!"

그곳에 모인 모든 사람들은 너 나 할 것 없이 카운트다운을 함께 외쳤고, 새해를 맞이하는 것과 같은 흥분상태였다. 정확히 4월 20일 오후 4시 20분. 사람들은 "Four Twenty!"를 외치며 저마다의 입에 마리화나를 물고 연신 연기를 내뿜었다. 그 순간 내가 느꼈던 충격은 정말 잊을 수가 없다. 록 페스티벌에서나 들을 법한 큰 음악 소리가 그곳을 가득 메웠고 사람들은 축제

분위기였다. 젊은 청년부터 할머니, 할아버지까지 나이를 가리지 않고 너 나 할 것 없이 그 순간을 즐겼다. 분명히 조금 전까지만 해도 지팡이를 짚고 있던 할머니였는데 음악 소리가 시작되자 지팡이는 내팽개치고 음악에 맞춰 미친 듯이 춤을 추기 시작하셨다. 맑았던 하늘은 마리화나 연기로 가득 찼고, 담배 냄새와는 또 다른 매캐한 탄내가 코를 찔렀다. 나는 담배를 피우지 않기 때문에 평소에 담배 냄새만 맡아도 기겁을 한다. 마리화나 냄새는 그 이상이다. 어떻게 표현해야 할지 모르겠지만, 무엇인가 타는 듯한 아주 매캐한 냄새인데 그 냄새가 구름같이 피어오르고 사방에서 그 냄새를 만들어 낸다고 보면 될 것 같다. (책에 냄새를 담을 수 있다면 참 좋겠다)

말 그대로 '충격 그 자체'였다. 한국에선 절대 금기시 되는 마약을 이렇게 공개적인 장소에서 피우다니, 게다가 이걸 축제로 즐기다니 말이다. 하지만 이내 그들의 다름을 받아들이기로 했다. 그리고 행사장에서 무료로 나눠주는 나초를 받아 맛있게 먹으며 그들을 구경했다. 서로의 문화가 다르기에 그들과 똑같이 함께하지는 못하지만, 그들을 존중해야겠다는 교과서에 나올 법한 답에 이르렀다. 차이가 존재한다는 것은 너무나도 당연하니 말이다. 하지만 그것을 받아들이는 데에는 개인마다 차이가 있고, 약간의 시간도 필요하다는 것을 피부로 느꼈다. 결과적으로 아주 신선한, 그리고 완벽히 새로운 경험이었다.

서로 간 문화의 '다름'은 분명 존중받아야 한다. 하지만 그 속에 '틀림' 또한 존재한다. 그 중 대표적인 것이 바로 인종차별이다. 캐나다는 정부에서 적극적으로 이민 정책을 추진하고 있고, 수많은 인종과 문화가 복합적으로 섞여서 만들어진 국가이다. 그래서 다른 영어권 국가들보다 인종차별이 덜하고, 그중에서도 빅토리아는 더더욱 인종차별이 없는 곳으로 유명하다. 그런 빅토리아에서조차도 인종차별이 있었는데 그중 내가 겪은 일부터 이야기하려 한다.

며칠 만에 찾아온 즐거운 휴무에 빅토리아의 센트럴 파크라고 불리는 비콘힐 파크에 혼자 구경을 하러 갔다. 비콘힐 파크는 공원이라고 하기엔 너무나도 큰 규모인데, 그 안에 어린이를 위한 작은 동물원도 있고, 수많은 야생동물이 사는 아주 평화로운 곳이다. 나도 다른 사람들과 다름없이 벤치에 앉아 여유를 즐기고 있었다. 그런데 갑자기 술에 취한 듯한 백인 무리가 맥주 캔을 손에 들고 내 앞에 나타났다.[3] 그들은 내 옆자리에 앉아 뭐라 말했다. 가만히 들어보니 같이 사진을 찍자고 하는 것 같았다. 나는 분명하게 "No"라고 말했다. 하지만 그들은 아랑곳하지 않았고 계속해서 카메라를 들이댔다. 사진으로도 모자라 비디오 영상을 찍자며 시작 버튼을 누르고 내 얼굴에 가져다 대기까지 했다. 처음 겪는 일에 너무 당황한 나머지 제대로 대응하지 못했고 그 자리를 빨리 벗어나는 게 최선이라고 생각해 서둘러 공원을 떠났다.

[3] 캐나다는 공공장소에서 술을 마실 수 없다.

그저 술에 취해 한 행동이라고 생각하고 넘기려 했다. 하지만 이건 분명히 인종차별이었다. 과연 내가 백인 남자였다면 그들이 단체로 다가와 카메라를 들이대며 같이 사진 찍고, 영상을 찍자고 했을까? 절대 그러지 않았을 것이다. 그들은 공원 벤치에 앉아있는 수많은 사람들 중에 유일한 아시안이었던 나를 콕 집어, 마치 동물원의 동물을 보는 듯한 시선으로 나에게 다가왔다. 그리고 카메라를 들이대며 사진을 찍었다. 지금, 이 순간에도 그때 일만 생각하면 심장이 벌렁벌렁할 정도로 화가 치밀어 오른다.

두 번째는 내가 겪은 일은 아니고, 바로 앞에서 목격한 일이다. 다운타운 스타벅스에서 책을 보고 있었는데 어느 나라 사람인지는 잘 모르겠지만 아시안 여자 한 사람이 카페로 들어왔다. 그리고 음료는 따로 주문하지 않은 채 자리에 앉았다. 그런데 그 아시안 여자 앞자리에 앉아있던 한 백인 남자가 갑자기 뭐라고 이야기하더니 손가락 욕을(우리가 다 아는 그 욕) 해댔다. 여자는 백인 남자가 계속 뭐라고 해도 무시한 채 자신의 볼일을 보는 듯했다. 나는 그저 그렇게 일이 마무리되는 줄 알았다. 진짜 일은 그 이후에 일어났다. 백인 남자가 카페를 나가는 길에 여자가 의자에 걸어 뒀던 재킷 모자에 자신이 마시던 물을 부어버린 것이다. 그는 그 짓을 저지르곤 빠르게 카페를 나갔다. 여자의 재킷 모자 속에는 물이 가득했고 재킷을 집어 들자마자 물은 바닥으로 쏟아졌다. 그 소리에 카페에 있던 모든 사람의 시선은 그쪽으로 쏠렸고 여자는 연신 "I'm Sorry"를 외치며 휴지로 바닥의 물을 닦았다.

도대체 여자가 잘못한 게 뭘까? 그 시간 그 장소에는 음료를 주문하지 않은 채 앉아있는 다른 사람들도 많았는데 말이다. 왜 하필 딱 그 사람만 골라서 욕을 하고 물을 부은 걸까? 그녀가 아시안이었기 때문이다. 나는 이 광경을 본 후 영어권 국가에서 아시안으로 살아가는 게 얼마나 힘든 일인지 다시 한번 느꼈다. 그리고 적극적으로 그 상황을 말리지 못했던 나 자신이 너무나도 초라하게 느껴졌다. '내가 만약 적극적으로 행동했다면 이런 일은 벌어지지 않았을 텐데…'라는 후회와 자책이 한동안 내 머릿속을 떠나지 않았다. 인종이 다르고, 서로의 출신 국가, 그리고 살아온 환경이 다르기에 그 속에 차이는 분명히 존재한다. 그걸 흔히 '문화 차이'라고 한다. 하지만 문화에 우등과 열등은 존재하지 않는다. 그저 '다름'만 존재할 뿐이다. 그럼에도 불구하고 21세기를 살아가는 지금 몇몇 사람들은 자신들의 문화가 다른 문화보다 우월하다고 생각하고, 특별한 지위를 얻으려 한다. 그리고 스스로 부여한 그 지위를 이용해 다른 사람들에게 해서는 안 될 말과 행동을 한다. 인종차별이 거의 없다는 캐나다에서 겪은 이 두 가지 일이 내 머릿속에 남긴 인상은 강렬했다.

혹시 내가 한국에서 외국인들을 바라볼 때 지나친 관심을 보이진 않았는지, 그저 호기심이라고 하기엔 그 시선이 무례하지 않았는지 생각하고, 또 반성했다. 동양인이라고 해서 무조건 피해자의 입장이 되는 것은 아니다. 우리도 우리나라에서 일하고 있는 외국인 노동자들을 잘못된 시선으로 바라봤을지 모른다. 우리가 모르는 사이 흘린 시선이, 웃자고 던진 농담 한마디가 그들에게는 평생 잊지 못할 악몽 같은 일이자 상처가 될 수 있다는 것을 먼 타국에서 가슴 깊이 배웠다.

같은 의미로 많이 쓰는 '다르다'와 '틀리다' 사이에는 아는 것보다 훨씬 더 큰 차이가 존재한다.

Victoria
Cannabis
Buyers Cl
Founded in 199

Victoria

그들과 우리가 된다는 것

햄버거 레스토랑에서 일하면서 가장 좋았던 점은 유럽, 남미, 동남아, 캐나다 등 다양한 지역 출신의 친구들을 만날 수 있었다는 것이다. 그 중 나의 첫 '친구'가 되어준 B. 그는 내가 일을 시작하고 난 후 2주 정도 뒤에 들어왔다. 매장에서 일할 땐 거의 말을 하지 않아 매니저님은 'Shy boy'라고 부를 정도로 조용한 친구였다. 누가 봐도 선한 얼굴에 항상 웃는 모습이었던 그에게 왠지 모르게 관심이 갔다. 그리고 용기를 내 먼저 말을 걸었다. "너 어디 출신이야?" 다양한 출신의 사람들이 모여 사는 캐나다에서 출신지를 묻는 건 가벼운 인사 정도 되는 말이었다. B는 평소와 다름없이 티 없는 웃음과 함께 '어디' 출신이라고 말했다. 난 도무지 알아들을 수 없었다. '알'로 시작하는 나라인 건 분명한데 아무리 생각해도 머릿속에 '알'로 시작하는 나라는 당최 생각이 나지 않았다. 그에게 다시 한번 물었다.

"정말 미안한데 내가 잘 못 알아들은 것 같아. 어디 출신이라고?" B는 '알바니아' 출신이었다. 분명 들어 본 적은 있지만 어디에 있는지 정확히는 모르는 나라 알바니아. 내가 너무 미안한 표정으로 알바니아에 대해 조금만 이야기해 줄 수 있냐고 묻자 B는 또다시 웃으며 "괜찮아. 우리나라가 아주 유명하진 않아. 너 그리스 알지? 지중해 쪽. 그쪽에 있는 나라야."라고 말했다. 나는 쉬는 시간에 바로 알바니아에 대해 찾아봤다. 그의 말대로 알바니아는 그리스와 이탈리아 근처에 있고, 유럽에 있는 나라 중 흔치 않게 이슬람교도가 많은 나라였다. 그런 내 모습을 본 B는 구글 지도를 가리키며 더 자세히 설명해 줬는데, 자신은 알바니아인이지만 정확히는 '코소보' 출신이라고 했다. '코소보라 하면, 예전에 사회시간에 들어본 적 있는 것 같은데?'라는 생각이 들어 찾아보니 그 코소보가 맞았다. 내전으로 인해 많은 어려움이 있었고 현재는 독립을 선언했지만, 일부 국가로부터는 독립을 인정받지 못하고 있는 곳. B에게 알바니아, 코소보에 대해서 더 자세히 묻고 싶었지만, 혹시 실례가 될까 싶어 묻지 않았다. '어느 나라, 어느 지역 출신'이 무엇이 중요할까. 우리는 지금 캐나다에 있고 같은 레스토랑에서 일하고 있다는 사실만이 중요할 뿐이었다.

이 짧은 대화를 시작으로 우리는 서로 더 가까워졌다. 스케줄이 겹칠 때마다 다른 동료들과는 하지 않던 사소한 장난을 치며 즐겁게 일했다. 그리고 그는 나의 첫 외국인 친구가 되었다. 며칠 뒤 우리는 휴무 날을 맞춰 하루 종일 빅토리아 이곳 저곳을 누볐다. 빅토리아의 랜드마크인 주 의회 의사당을 비롯해 캐나다 최초로 만들어졌다는 차이나타운, 노을이 아름답기로 유명한 댈러스 로드까지. 이곳저곳을 둘러보는 것도 물론 재미있었지만 가장 기억에 남는 건 한국 식당에서 보낸 시간이다. 꽤 쌀쌀한 날씨 속에서 온종일 돌아다닌 끝에 다운타운에 있는 한국 식당에서 저녁을 먹기로 했다. 한국식당에서의 주무기는 역시 포크가 아닌 젓가락이다. 젓가락을 태어나서 한 번도 써 본 적이 없다는 B는 연신 내 젓가락질을 보고 놀람을 금치 못했다. 나를 따라 몇 번 시도했지만 결국 포기했다. "너희는 어떻게 젓가락으로 쌀알도 집어 먹어?"라는 호기심 어린 질문을 끝으로 B는 점원에게 포크를 달라했고, 그제야 제대로 밥을 먹을 수 있었다.

돼지고기를 먹지 않는 B는 간장으로 양념한 닭고기 볶음을 시켰는데, 연신 엄지를 치켜세우며 한 그릇을 뚝딱 해치웠다. 내심 뿌듯했다. 내가 만든 음식은 아니지만, 외국 친구가 한국 음식을 맛있게 먹으니 가슴 속 깊숙이 있던 애국심이 발동한 건지, 무슨 이유인지는 모르지만, 기분이 좋았다. 다음엔 한국 치킨집에서 진짜 치킨을 맛보게 해 주겠다며, 지금까지 네가 먹은 치킨은 치킨이 아니었다 호언을 한 후 우리의 첫 번째 나들이는 끝이 났다.

캐나다에 오기 전 외국인들은 우리나라 사람들보다 개방적이라고 하니 친구는 금방 사귀겠다고 생각했다. 그 생각은 본격적인 캐나다 생활을 시작하자마자 산산조각이 났다. 일반적으로 자신을 감추고, 거절의 겸손이 미덕인 우리나라 사람들보다야 개방적인 것은 맞을지 모른다. 한때 단일민족국가임을 자랑스럽게 생각하던 우리나라 사람들과 비교하면 애초에 다양한 인종이 섞여 만들어진 나라에 사는 사람들이니 상대적으로 개방적일 수밖에 없다. 하지만 그렇다고 해서 절대 그들이 먼저 다가오지는 않는다. 그들은 개방적이지만 동시에 개인주의적이

기도 하다. 그들은 자신이 남에게 피해 주는 것, 반대로 타인이 나에게 지나친 관심을 보이거나 피해 주는 것을 극도로 경계한다. 그런 환경과 가치관 때문에 쉽게 친구를 사귈 수 있을 거라 생각했던 나의 예상은 보란 듯이 빗나간 것이다.

그래서 내가 먼저 다가갔다. 출근길에 누구보다 환하게 먼저 인사했고, 누군가가 나에게 부탁하는 일이 있다면 내가 할 수 있는 한 거절하지 않고 다 들어줬다. 더불어 그들의 마음을 연 가장 중요한 팁은 바로 출신 국가에 관심을 갖는 것이다. 가식이 아닌 진심으로 말이다. “너희 나라말로 땡큐는 어떻게 말해?”, “브라질은 포르투갈어를 쓴다고? 한번 해 줄 수 있어? 나 한 번도 들어본 적이 없어서 궁금해!”와 같이 아주 간단한 질문들을 던지는 것이다.

타지에서 함께 고생하는 그들에게 자신의 나라에 진심으로 관심을 갖는 사람을 향한 마음의 문은 자연스럽게 열리기 마련이다. 그리고 나는 항상 먼저 연락했다. "너 오늘 휴무라며? 다른 약속 없으면 나랑 같이 놀자!" 상대방이 나보다 나이가 어리거나 많은 건 문제가 되지 않았다. 십 대부터 사십 대, 그 이상까지 모두 친구가 될 수 있는 곳이니 말이다.

그리고 느꼈다. 그들은 내가 한 걸음 다가가면 두 걸음, 세 걸음 아니 어쩌면 그보다 성큼 다가와 준다는 것을 말이다.

외로움이라는 이름의 괴물

좋은 친구들과 같이 시간을 보내고, 휴무 때마다 이곳 저곳을 돌아다닌다고 해도, 사라지지 않는 감정이 있다. '외로움'. 스무 살이 된 이후 줄곧 혼자 지내온 나는 어느 정도 외로움이라는 감정에 익숙해져 왔다고 생각했다. 하지만 외국에서 느끼는 그 감정의 깊이는 생각보다 깊었다. 아침에 눈을 뜨고 밤에 눈을 감기까지 두 귀는 항상 초긴장 상태였다. 조금이라도 긴장을 늦추거나 딴생각을 하면 그들이 하는 말은 그저 한 귀로 흘러들어와 다른 한 귀로 빠져나가기 일쑤였다. 내가 하고 싶은 말 '한마디'를 하기 위해선 머릿속으로 온갖 과정을 거쳐야 하는 하루하루를 살아야 했다.

그렇게 온종일 한바탕 전쟁을 치른 후 집에 돌아와 침대에 누우면 '외로움'이라는 무서운 괴물이 나를 집어삼키곤 했다. 지칠 대로 지친 나에게 그 괴물이 다가오기란 너무나도 쉬웠고, 스스로 이겨내기가 가끔은 버거웠다. 게다가 몇몇 연락하고 지내던 한국 지인들의 소식을 들을 때면 '내가 잘 하고 있는 걸까? 남들은 토익, 토플은 물론이고 해외 봉사다 인턴이다 세상이 인정해주는 스펙을 쌓느라 바쁜 시기에 이곳에 와 지내는 게 맞는 건가?' 하는 생각마저 들었다.

'외로움'이라는 감정이 가지고 온 파도는 생각보다 컸다. 아무리 주위를 둘러봐도 고민을 진심으로 들어줄 사람은 없는 것 같았고, 이 나라에서 혼자 살아남아야 한다는 생각이 들기 시작하는 순간 스스로 만들어 낸 거대한 벽 안에 들어가 버리기 일쑤였다.

그런 날 중의 하루였다. 아니, 지금 생각해보면 그 감정의 골짜기에 가장 깊숙이 빠졌던 날인 것 같다. 5월은 가정의 달이라고 어렸을 때부터 들어왔는데 캐나다도 크게 다르지 않았다.[4] 엄마, 아빠 손을 잡고 걸어가는 꼬마가 더 행복해 보이는 건 5월이기 때문일까. 나에게 5월은 조금 더 특별한데, 엄마의 생신이 5월에 있다. 한국과 캐나다는 열 시간이 넘는 시차가 있다. 그래서 한국에 있는 가족이나 친구들의 생일을 제시간에 맞춰 축하해 주기란 생각보다 쉽지 않다. 특히 엄마는 매년 날짜가 바뀌는 음력을 따랐기 때문에 머릿속으로는 도저히 계산되지 않아 인터넷의 도움을 받아 정확한 날짜를 확인해 축하 전화를 해야만 했다. 출근길에 버스에서 내려 엄마와 짧게 통화했다. (생신보다 하루 먼저 축하 전화를 했다. 분명히 정확하다고 생각했는데) 분명 내가 생신 축하를 드리기

[4] 우리나라에 어버이날이 있듯, 캐나다에도 5월에 마더스 데이, 6월에 파더스 데이가 있다.

위해 한 전화였는데 오히려 엄마는 내가 잘 먹고 다니는지, 너무 스트레스 받는 건 아닌지, 사진을 보니 살이 너무 빠진 것 같은데 음식이 입에 맞지 않는 건 아닌지, 그간 쌓아 뒀던 걱정을 쏟아내셨다.

'내가 생각한 건 이게 아닌데.' 환한 목소리로 축하해 드리고 싶었던 나의 목적은 실패로 돌아간 지 오래였다. 걱정하는 엄마를 안심시켜드리기 바빴고 내가 하고 싶었던 말은 채 하지도 못하고 급히 전화를 끊었다. 왈칵 눈물이 쏟아졌다. 길 한복판에서 말이다. 나이 서른이 다 되어가는 어른이 길바닥에서 우는 건 상상하기 어렵겠지만 정말 울어버렸다. 그리고 그때 '외로움'이 또 나를 덮쳤다. 혼자도 아닌 '그리움'까지 같이 쌍으로 덮쳤다.

감당하기 힘들었다. 솔직히 말하면 감당할 수 없었다. 하지만 감당하는 척이라도 해야만 했다. 급히 눈물을 닦고 출근 시간에 늦지 않으려고 걸음을 재촉했다. 평소와 다름없이 동료들과 환하게 굿모닝을 외치지만, 마음은 굿모닝이 아닌 그런 아침. 누군가에게 털어놓고 싶지만 그럴 수도 없을뿐더러, 털어놓는다 한들 해결되지 않는다는 것도 알고 있었기에 더 외로운 날.

외로움은 나이가 들어도 익숙해지지 않는, 오히려 나이가 들수록 더 커지는 감정인 듯하다. 이겨내려고 하기보단 친해지는 편이 더 나으려나. 잘 모르겠다.

외로운 거 너무 싫다.

캐나다는 약간 다른 듯해_1
사람이 먼저인 세상

버스 뒷자리에 앉아 자주 듣던 노래를 듣고 있었다. 평화로운 차창 밖으로 '오늘도 무사히'를 속으로 외치며 하루를 시작하는 순간이었다. 그런데 그때 유아차 한 대와 어머니 한 분이 버스에 올랐다. 너무나도 평범하고 익숙한 그림이었기에 그러려니 하고 대수롭지 않게 생각하고 있었는데, 몇 정류장 지나 새로 한 대, 그리고 마지막으로 또 한대. 총 세 대의 유아차가 한 버스에 올랐다. 유아차가 버스에 오를 때마다 사람들은 너나 할 것 없이 자리를 양보했고, 어느덧 버스 앞쪽은 세 대의 유아차로 꽉 차 있게 되었다.

한국에서도 버스를 자주 이용했다. 학교 가는 길, 학원 가는 길, 일하러 가는 길 모두 버스나 지하철을 타고 다니곤 했다. 지하철에서는 가끔 유아차를 끈 어머니 혹은 아버지, 휠체어를 탄 장애인을 볼 수 있었지만, 버스에서는 단 한 번도 본 적이 없었다. (지극히 개인적인 경험이다) 저상버스라고 적혀있긴 했지만, 말뿐인 저상버스였을 때가 대부분이었다. 캐나다는 조금 달랐다. 보행기를 끌고 버스에 오르는 어르신부터 시각장애인, 유아차를 끈 부모님, 그리고 안내견까지. 우리가 흔히 '교통약자'라고 생각하는 모든 사람들이 대중교통을 이용하고 있었다. 대중교통이 정말 '대중'교통이 되는 순간을 한 두 번 느낀 게 아니니까 이들에겐 이 모든 게 일상인 듯 싶다. 평소 일상생활 속에서도 장애인을 쉽게 볼 수 있었다. 우리나라보다 인구도 적은 캐나다가 장애인 비율이 월등히 높은 걸까? 아마 아닐 것이다. 그들이 일상을 누리는 데 불편함이 덜하기 때문에 모두가 누리는 일상을 함께 누리고 있는 것이다.

인도와 차도가 맞닿는 부분엔 오르내리기 쉽게 연석의 높이가 조절돼 있다. 건물의 출입구엔 휠체어를 탄 사람의 눈높이에 맞게 자동으로 문이 열리는 버튼이 있다. 횡단 신호가 바뀔 때면 따로 버튼을 누르지 않아도 알림음이 크게 울려 누구든 주의를 기울일 수 있도록 하였고, 자전거 도로는 주정차로 인해 오도 가도 못하는 죽은 도로가 아니라 도로의 주인으로 당당하게 조성돼있다. 버스 앞쪽에는 자전거를 실을 수 있게 따로 장치가 마련되어 있고 자전거를 싣는 동안 버스 안에 타 있는 사람들은 불평 한마디 없이 기다려 준다.

캐나다라고 해서 무조건 좋은 부분만 있다는 건 절대 아니다. 우리나라라고 해서 나쁜 것만 가지고 있다는 건 더더욱 아니다. 오히려 많은 부분에서 우리나라가 아주 월등히 앞서가고 있다고 느낄 때도 많다. 하지만 사람을 바라보는 인식, 그들을 대하는 방식에 있어서는 이들이 우리보다 조금은 앞서고 있다는 생각이 든다. 그래서 때로는 이들이, 그리고 이들이 만들어낸 이 사회가 부럽기도 하다. 듣기 힘든 이야기일 수 있겠지만 비장애인은 미래에 장애인이 될 수 있다. 불의의 사고로 혹은 지병으로 정신적, 육체적 장애를 겪을 수 있다. 이 글을 쓰고 있는 나도 피해 갈 수 없다. 남의 이야기가 아닌 내 이야기가 될 수도, 사랑하는 가족 또는 친구의 이야기가 될 수도 있으니 말이다.

진짜 사람이 먼저인 세상은 뭘까?

캐나다는 약간 다른 듯해_2

Love is Love

LGBTQ.

Lesbian, Gay, Bisexual, Transgender, Queer(혹은 Questioning). 네이버 영어사전에서 정의하는 LGBTQ의 뜻이다. 그대로 해석하면 '여성 동성애자, 남성 동성애자, 양성애자, 성전환자, 성 소수자 전반 혹은 성 정체성에 관해 갈등하는 사람'이라는 여러 단어의 앞글자를 딴 단어가 바로 LGBTQ이다. 캐나다에서 지내다 보면 조금은 다른 느낌의 사람들을 어렵지 않게 만날 수 있다. 한국에서는 보기 쉽지 않은 느낌의 그런 사람들 말이다. 가끔은 남자인지 여자인지 구분하기 쉽지 않은 사람들도 볼 수 있다. 물론 그들에 관한 이야기가 누군가에겐 듣기 불편한 이야기 일수 있고, 또 다른 누군가에겐 아무렇지 않은 일상과도 같은 이야기일 수 있다. 분명한 건 이 십여 년을 한국에서 살아온 나에겐 쉽게 말할 수 있는 주제가 아니라는 것이다. 하지만 캐나다는 약간 다른 듯 하다.

아침 일찍부터 길 양쪽이 사람들로 가득 찼다. 저마다 자신이 꾸밀 수 있는 가장 화려한 색깔의 옷을 입고 있다. 가게마다 무지개 깃발을 붙여 놓거나 직접 깃발을 벽에 꽂아 놓기도 한다. 심지어 주 의회 의사당 앞에도 대형 무지개 깃발이 펄럭이고 있다. 오늘은 'Pride Parade'가 있는 날인데, 우리가 흔히 '성 소수자'라고 부르는 사람들이 세상의 중심에서 자신의 존재를 알리는 날이다.

한국에도 '퀴어 축제'라는 이름으로 짧지 않은 시간 동안 그들의 목소리를 외쳐온 시간이 있다. 하지만 나는 단 한 번도 축제에 직접 참여한 적도 없었을뿐더러, 구경조차 해 본 적이 없었다. 그래서 이번 퍼레이드에 엄청난 호기심이 드는 동시에 걱정도 함께 들었다. 한국 언론에서 다루는 축제의 모습은 선정적이고 자극적이었고, 축제를 격렬히 반대하는 사람들의 집회 모습이 대부분이었다. 캐나다에서도 그와 다르지 않으면 어쩌나 하는 마음이 컸다. 말 그대로 기대 반, 걱정 반으로 퍼레이드의 시작만을 기다렸다.

오전 열 한시. 경찰 오토바이를 필두로 퍼레이드는 시작됐다. 알록달록한 깃발을 오토바이 뒤에 꽂은 채 수많은 사람의 환호를 받으며 퍼레이드 선봉이 앞장서면, 각 단체에서 준비한 화려한 퍼포먼스가 뒤따랐다. 예상했던 것처럼 평소 입는 일상복과 비교하면 선정적이고 자극적인 옷을 입고, 진한 화장을 한 사람들이 신나는 음악과 춤으로 구경하는 사람들의 눈을 사로잡았다. 그들은 외쳤다.

"Love is Love"

"사랑은 사랑이다"

그들이 원하는 건 커다란 무언가가 아닌 듯 보였다. 그저 자신들이 하는 이 사랑도 사랑이다. 그냥 그렇게만 보아 달라 말하는 것 같았다. 퍼레이드 참가자 중엔 어린아이부터 휠체어를 탄 노인까지 나이를 불문했다. 길을 가득 메운 사람들은 그들의 목소리에 귀 기울였고, 환호했다.

물론 아무리 개방적인 캐나다라고 하더라도 모든 사람이 성 소수자를 응원하고 지지하는 건 아니다. 하지만 분명 그들의 목소리는 다른 어떤 사회보다 또렷하게 들렸고, 자신감이 넘쳤다. 퍼레이드 참가 팀 중엔 지역 교회 연합 팀도 있었는데, 그들이 내게는 퍽 인상적이었다. 어느 나라든 성 소수자 문제에 가장 강력히 반대하는 건 종교단체일 것이다. 그런 그들이 함께 무지개 깃발을 들고 퍼레이드에 참여하는 것. 지금껏 상상해보지 못한 그림에 신선한 충격을 받았고 많은 참가 팀 중에 그 팀이 가장 기억에 남는다. 물론 교회의 참가에 대해 찬성하지 않는 입장도 있지만 말이다.

퍼레이드의 피날레는 가장 마지막 팀의 행진에 길 양쪽에 있던 수많은 시민들이 뒤따르는 순간이다. 도로는 사람들로 빽빽이 채워지고 '발 디딜 틈이 없다.'라는 말을 새삼 실감할 수 있었다. 빅토리아 여왕의 생일을 기념하는 '빅토리아 데이', 캐나다의 건국 기념일인 '캐나다 데이' 때 마다 퍼레이드가 있었는데, 그 모습을 다 지켜본 나는 빅토리아에서 이렇게 많은 사람을 본 적이 없었다. 평소엔 차 클랙슨 소리조차 들리지 않는 조용하고 평화로운 이곳에 '이렇게 많은 사람이 살고 있었나' 하는 의문이 드는 순간이었다. 그만큼 캐나다 사람들에게 이날은 특별한 날인 듯하다.

옳고 그름을 따지기 전에 그들도 사람이기에, 그들이 원하는 건 특별한 관심이 아닌 평범한 무관심이기에, 나아가 더는 그들만이 아닌 우리이기에 'Pride Parade'는 내 머릿속을 한동안 가득 메웠다.

"Love is Love"

EXCEPT
BICYCLES

LUSH
LUSH
FRESH
HANDMADE
COSMETICS
1020
SAVE ON

몰라 알 수가 없어

'인연'과 '인맥'. 비슷하지만, 하늘과 땅 차이인 단어. 스무 살이 되던 해 서울에서 대학 생활을 시작한 나는 자연히 몇 명의 고등학교 친구들을 제외하고는 많은 친구들과 연락이 끊겼다. 끊긴 것인지, 끊은 것인지는 명확히 알 수 없지만, 결과적으로 지금은 서로의 연락처도 모르는 사이가 된 건 분명하다. 그 후 이어진 2년간의 군대. 군 생활을 하면서 선임, 후임, 그리고 동기라는 이름으로 새로운 사람들을 많이 사귀었다. 그와 동시에 대학에서 만난 많은 친구, 선 후배들과 또 자연스럽게 멀어지게 됐다. 전역 후 학교로 바로 복학했다면 다시 이어졌을지도 모를 대학에서의 인연은 2년의 휴학으로 점점 더 멀어져 이제는 인스타그램으로 서로의 생사를 확인하는 사이가 돼버렸다.

군대에서의 인연은 어떨까? 아이러니하게도 남자 인생에서 가장 힘든 순간이라고도 할 수 있는 군 생활 중에 만났던 '전우'라는 이름의 사나이들(?)의 인연도 전역 후엔 언제 그렇게 친했냐는 듯이 금세 사라지고 만다. 사는 지역도 다르고 하는 일도 달라 '군대'라는 공감대가 사라지면 그 끈끈했던 전우애가 더는 끈끈하기 어려우니 말이다.

처음엔 정말 힘들었다. 모든 게 내 잘못인 것 같았다. 내 성격이 모나서, 예민해서 그들이 내 곁을 떠난 것만 같았다. 그렇게 인간관계의 구렁텅이에 빠져 허우적거리고 수십, 수백 개의 전화번호를 지웠다. '다 쓸데없어. 어차피 자기 이득만 취하면 연락도 안 할 사람들!'이라는 말을 혼자 되뇌길 반복했다. 자존감은 그 바닥이 어딘지도 모를 만큼 한도 끝도 없이 떨어져 내려갔다. 새로운 사람을 만나는 게 두려웠고, 관계에서 상처받지 않기 위해 보이지 않는 커다랗고 높은 벽을 세워 스스로 방어하기 시작했다. 단단한 벽이 하나둘 주위를 둘러싸고 이제는 더 이상 앞이 보이지 않을 만큼 굳건해졌을 때 생각했다.

'이게 정말 나만의 잘못인가?'
'아직 나와 맞는 인연을 만나지 못한 것일 수도 있잖아.'
'내가 그들에 맞게 내 성격을 굳이 고쳐야 하는 거야?'
'나는 그저 나야!'

속이 후련했다. 그동안 내 잘못이라고만 생각했던 모든 문제가 나만의 잘못은 아니라고 생각하니 바닥을 치다 못해 지하로 곤두박질치던 자존감은 서서히 오르기 시작했다. 사람들을 대하는 자세도 바뀌었다. '이 사람과의 관계에 최선을 다하되 무엇인가 대가를 바라지 말자.'라고 매 순간 생각한다. 사람은 누구나 자신이 상대방에게 무엇인가를 주면 그와 상응하는 대가를 얻길 바란다. 그런데 그 대가가 성에 차지 않거나 심지어 대가 자체가 없다면 실망하게 되고 상처받게 된다. 상처가 깊어지면 더는 치료하기 힘들어지고 결국엔 마음의 병을 얻게 되는 끔찍한 악순환을 반복한다.

새로운 공동체에 들어가는 게 겁부터 나게 된다. 모든 사람을 의심의 눈초리로 보게 되고 '이 사람들도 지금은 잘해주지만 언젠가 나를 떠날 사람들이야.'라는 부정적인 생각이 머릿속을 가득 채운다. 상대방의 조그만 말과 행동에도 의미를 부여하게 되고, 결국엔 마음의 문을 닫아버린다. 끝내 '난 다른 사람 신경 안 써!'라고 말하지만 실제로는 다른 사람을 신경 쓰다 나 자신을 돌보지 못하는 사람이 되고 만다. 한국을 떠나 캐나다에서 생활하면서 한국에 있는 가족, 친구들과 자주 연락을 주고받기란 쉽지 않았다. 자연히 연락을 주고받는 사람의 수는 줄어들었고 '인간관계의 늪'에 빠져 버리기 일쑤였다. '왜 연락을 하지 않을까?', '나를 잊은 건 아닐까?'라고 생각하기도 했다.

이제 깨달았다. 그들과 내가 진정한 인연이라면 카톡 한 번 안 했다고, 전화 한 통 안 했다고 끊기지는 않는다는 것을 말이다. 물론 잘 지내냐고 먼저 연락을 주면 고맙다. 하지만 그렇지 않더라도 나를 인연이라고 생각하고 있는 사람이라면 잊지 않고 기억하고 있을 거라는 굳건한 믿음이 생겼다. 내가 그렇게 그들을 잊지 않고 있으니 말이다. 인스타그램에 올린 사진에 '좋아요'만 누르며 관계를 유지하려고 하는 사람들보다 오히려 연락 한번 없지만, 묵묵히 응원해 주는 사람이 진정한 인연이라는 것을 배웠다.

전혀 연락하지 않을 것 같던 사람과 연락하게 되기도, 그와 반대로 평생을 연락할 것 같던 사이가 데면데면하다 못해 원수지간이 되기도 하는 게 인간관계라고들 한다. 한국을 떠나보니 그 말이 무슨 뜻인지 조금은 알 것 같다. 아직도 인간관계는 어렵지만 말이다.

인연인지 인맥인지는 아무도 모르는 거니까.

1막 끝, 2막 시작

많이 고민했다. 6개월 동안 잘 지내온 빅토리아를 떠날지 말지 말이다. 사실 캐나다로 워킹홀리데이를 떠나기 전부터 도시를 이동하려는 계획은 가지고 있었다. 오히려 확고했다는 표현이 더 맞을지도 모르겠다. '나는 1년이라는 기간 동안 최대한 다양한 경험을 할 거야.'라는 야무진 생각을 하고 있었으니 말이다. 하지만 직접 살아보니 현실은 그리 호락호락하지 않았다. 우리나라에서도 사는 곳을 옮긴다는 건 큰 결심과 용기가 필요한 일인데, 캐나다는 오죽할까. 이 큰 나라에서 이사는 생각보다 더 큰 일이었다. 게다가 내가 원했던 도시는 캐나다의 동쪽 끝. 그러니까 서쪽 끝에 있는 빅토리아와 정 반대 위치에 있는 곳, 토론토였다.

왜 하필 많은 도시 가운데 토론토를 택했냐는 질문엔 단 1초의 망설임도 없이 답할 수 있다. 토론토는 '캐나다에서 가장 큰 도시'이기 때문이다. 물론 빅토리아에서의 생활도 너무 좋았지만, 더 큰 도시에서 더 다양한 사람들과 함께 살아보고 싶었다. 긴 시간 동안 고민한 끝에 결정했고, 고민이 끝남과 동시에 토론토행 비행기 표를 끊었다. 이사를 결정하고 바로 매니저님과 동료들에게 이야기했는데, 그들의 반응은 하나같이 똑같았다.

"왜? 지금 잘 지내고 있잖아!"
"왜 하필 토론토야? 거긴 정말 추워!"
"왜? 동부는 콘크리트 도시야. 삭막하다고!"

모두 다 “왜?”라는 물음뿐이었다. 그도 그럴 것이 6개월이라는 시간 동안 여러 가지 시행착오를 겪어가며 겨우 적응했는데, 또 다른 곳으로 떠난다고 하니 그들의 반응이 이상한 것도 아니다. 토론토에 아는 가족이나 친구가 있는 것도 아니고, 미리 구해놓은 직장이나 집이 있는 것도 아니었으니까 말이다. 처음엔 매니저님과 동료들이 그런 선택을 한 나를 기이하게 쳐다봤다. 하지만 이내 수긍했다. 그리고 그들은

“너 참 용감하다!”
“그곳에서도 분명 좋은 직장 구할 수 있을 거야.”
“돌아오고 싶다면 언제든 돌아와도 괜찮아. 보고 싶을 거야.”

라는 말을 ‘볼 때마다’ 해주었다. 그때 생각했다. ‘너무 빨리 말했나…’. 사실 떠나기 3주 전쯤에 이야기한 터라 아직 이사하기까지는 꽤 많은 시간이 남아있었다. 그 기간 동안 동료들은 장난 반, 진심 반으로 “보고 싶을 거야, 가지 마”

를 매일 같이 이야기했다. 약간 민망하기도 했지만, 기분이 좋았다. 내가 이곳에서 미움받는 사람은 아니었다는 게 증명받는 것 같았다. 누군가 떠난다고 했을 때 함께했던 동료나 친구들이 슬퍼해 준다는 건 참 감사한 일이니 말이다.

3주 동안 많은 약속이 있었다. 평소에도 잘 연락하고, 가깝게 지내던 친구들과는 더 자주 만났고, 그렇지 않았던 친구들과도 약속을 잡아 크고 작은 송별회를 여러 번 했다. 그들의 집에 초대받아 같이 BTS 뮤직비디오를 보며 피자를 먹기도 했고, 그동안 가보지 못했던 빅토리아의 숨은 명소들을 찾아 인증 샷을 남기기도 했다. 그 3주는 어느 때보다 빠르게 지나갔고, 평범하게만 느껴졌던 일상이 더 특별하게 다가왔다. 매일 타던 버스도, 자주 가던 식당도, 집 근처 카페도 이제는 다시 못 올 거라는 생각에 눈에 더 자세히 담기 바빴다.

아름다운 기억은 여기까지. 이사는 현실이다.

6개월 동안 살면서 늘어난 살림들을 정리하고 단 두 개의 캐리어에 모든 것을 담아야만 했다. 겨울이 아주 길고, 혹독하게 춥다는 토론토의 날씨에 대해 익히 들은 터라 한국에서부터 가져온 패딩을 버릴 수는 없었다. 그 대신 신발이나 다른 옷가지들을 버려야만 했다. 캐나다에서 지금껏 한 번도 입지 않은 옷은 과감히 다 버렸다. 먹고 남은 쌀, 간장, 참기름, 된장, 고추장까지 모든 것을 다 두고 가야 했다.

어느 정도 마무리가 될 즈음 집주인에게 체중계를 빌려 한국에서 그랬던 것처럼 추가 요금을 내지 않기 위해 발버둥을 몇 번 치니 드디어 방은 수개월 전 내가 들어오기 전의 모습과 같아졌다. 살았던 흔적이라곤 마지막 하룻밤을 보내기 위한 이불과 베개뿐이었다. 텅 빈 조그만 방을 바라보며 지나온 순간들을 떠올렸다. 처음 한국에서 와 아무것도 모른 채 모든 게 신기하게만 보였던 순간. 주방에서 일하며 뜨거운 기름에 데어 손에 물집이 잡혔던 순간. 친구들과

다 같이 잔디밭에 앉아 피자를 먹던 순간. 퇴근 후 집으로 가는 길에 버스킹을 보며 넋 놓고 있던 순간까지. 기뻤던 순간들, 힘들었던 순간들 모두가 아름다운 포장지로 싸여 이내 추억이라는 선물이 되어 나에게로 왔다. 그리고 그 선물을 마음속에 담고 생각했다.

'수고했다.'

나에게 그렇게 말해주고 싶었다. 수고했다고. 아직 1년의 여정이 모두 끝난 것은 아니지만 지난 6개월 동안 참 수고했다고 말이다. 앞으로도 지금껏 해왔던 것처럼 잘해보자고.

이사 당일 23kg짜리 캐리어 두 개와 터질 것 같은 배낭 한 개를 들고 마지막으로 빅토리아 다운타운으로 향했다. 자주 가던 중국 음식점에서 평소엔 절대 먹지 않았던(아니 못했던) 조합으로 거하게 최후의 만찬을 즐겼다. 비행기 시간을 기다려야 한다는 핑계로 자주 가던 스타벅스 매장에도 들러 커피 한 잔을 마셨다. '마지막'이라는 강력한 무기를 장착하니 세상 무서울 게 없었다. 그렇게 한 시간, 두 시간이 흘러 어느덧 공항으로 가야만 하는 시간은 다가왔고, 이내 셔틀버스에 올랐다. 마침 셔틀버스 시간이 일몰 시간과 겹쳐, 운치 있게 빅토리아의 마지막 노을을 감상하며 가겠다는 처음의 생각은 그저 생각일 뿐이었다. 이른 아침부터 두 캐리어와 함께한 무리한 일정 탓에 나는 금세 곯아떨어졌고, 공항에 도착하고 나서야 잠에서 깼다.

이제 진짜 마지막. 밤늦은 시간이라 공항에는 사람이 많지 않았고, 수속도 빠르게 진행됐다. 탑승 전 모든 준비를 끝내고 작디작은 빅토리아 공항을 쭉 한 번 훑어보았다. 처음 이곳에 와서 느꼈던 그 감정과는 사뭇 다른 느낌의 이름 모를 감정들이 피어났다. 그리고 슬픈 기억은 다 털어버리고 기쁜 기억만 꼭꼭 챙겨서 가져가기로 다짐했다.

새로운 시작 전 설렘인지, 정든 곳에 대한 아쉬움인지 잘 모르겠지만 그리 나쁘지만은 않은 그 감정과 함께 캐나다에서의 2막이 시작되는 순간이었다. 이 표현을 쓸 수 있는 순간이 나에게도 올 줄은 몰랐다.

"1막 끝, 2막 시작."

Douglas
Street
1400
Douglas
Street
1400

CALIFORNIA
NLK 232

GMO 46S
THX 138

EMPRESS
Victoria

40

W.C.CAMERON
FLAVOUR
OPEN
Mango's
BOUTIQUE & ACCESSORIES
P

Ford
570 MFS

HA
C-FHAJ
HARBOUR AIR
314

DELTA
QUICKSILVER
FIREBOAT
2
FIREBOAT
2
VICTORIA FIRE RESCUE
VICTORIA

P
2.99

SEA DREAM
DAVE
HARRIS
ONE MAN
BAND

서쪽 끝
빅토리아부터

동쪽 끝
토론토까지

제주도에서 서울 온 느낌이랄까?

6개월간의 빅토리아 살이를 마치고 온 토론토. 많은 사람들이 캐나다의 수도로 착각할 정도로[5] 토론토는 캐나다 최대 도시다. 그만큼 다양한 출신의 사람들이 각자의 모습으로 살아가고 있는 곳. 첫인상은 꽤 강렬했다. 도시는 활기찼고 어느 곳이든 사람들로 가득했다. 빅토리아에서는 듣기 힘들었던 클랙슨 소리도 이곳에서는 너무 당연했다. 곳곳에서 사람들의 싸우는 소리도 들렸다. 눈과 귀가 쉴 틈이 없는, 마

[5] 캐나다의 수도는 오타와!

치 우리나라 서울에 온 듯한 느낌이 드는 이곳에서의 앞으로가 기대됐다. 그와 동시에 마음속에서는 엄청난 불안과 초조가 요동쳤다. 한국에서 캐나다로 처음 올 때 보다 더 적은 돈으로 토론토에서의 첫 시작을 해야 한다는 압박감이 가득했다. 6개월 전과 마찬가지로 집을 구하기 전 지낼 호스텔을 예약해 두었는데 그 기간 동안 알맞은 위치에, 합리적인 가격의 집을 구해야만 했다. 당연히 새 직장도 말이다. 모든 게 또다시 처음이었다. 그동안 차곡차곡 쌓아 놓았던 성이 단단한 벽돌 성이 아닌 모래성이었고, 살랑살랑 부는 바람에 와르르 무너져 버린 듯했다.

생각보다 토론토는 너무 큰 도시였고 다운타운에 꽤 괜찮은 집 '방 하나'를 빌리려면 한 달에 백만 원은 훌쩍 넘는 렌트비에 혀를 내둘렀다. 그때 생각했다. '욕심이 너무 과했나?'. 1년이라는 제한된 시간 동안 최대한 많은 경험을 하고자 했던 내 목표가 '욕심'으로 느껴졌다. 사실 욕심이 맞을지도 모르겠다. 아니, 욕심이다. 그래서 더 이루고 싶었다. 보란 듯이 해내고 싶었다. 온종일 집을 알아봤고, 집주인과 메일을 수도 없이 주고받았다. 뷰잉(Viewing) 약속을 잡고 오전엔 서쪽으로, 오후엔 동쪽으로 토론토 이곳저곳을 헤집고 다녔다. 쉽지 않았다. 가격이 괜찮으면 위치가 별로였고, 위치가 괜찮으면 가격은 상상을 초월했다. 게다가 토론토엔 현지인들도 꺼리는 우범지역이 몇 군데 있어서 그런 지역을 하나하나 체크하는 것도 여간 어려운 게 아니었다.

그러길 나흘. 호스텔에서 지낼 수 있는 마지막 날. 여느 날과 다름없이 아침은 먹는 둥 마는 둥 하고, 로비에 앉아 또다시 방을 알아봤다. 오늘 구하지 못하면 호스텔에 추가 요금을 내고 예정보다 더 머물러야 했기에 눈에 불을 켜고 찾았다. 그러던 중 눈에 들어온 한 곳.

'모든 가구 IKEA 새것, 월세 유틸리티 포함'

사진상으로는 아주 깔끔해 보였고, 위치도 다운타운 서쪽 끝이어서 조금 우긴다면 다운타운에 산다고 할 수 있을 정도였다. 망설이는 1초도 아까워 당장 집주인에게 오늘 방을 볼 수 있냐고 문자를 보냈다. 다행히 가능하다는 답변이 왔고, 서둘러 준비한 뒤 평소와는 사뭇 다른 느낌으로 호스텔을 나섰다. '이번에 뭔가 느낌이 괜찮은데?'.

호스텔에서 버스로 20여 분 걸려 도착한 집. 버스정류장과도 가깝고 주변엔 공원, 학교, 식료품점 등이 있어 일단 위치는 합격이었다. 주인아주머니께 도착했다고 연락하자마자 아주머니는 1층으로 내려와 문을 열어주셨다. 금발의 파란 눈을 가진 러시안 아주머니가 러시아 특유의 강한 엑센트와 함께 인사를 건넸다. 간단히 서로를 소개한 후 2층으로 올라가 방을 봤는데 내 마음속에선 이미 계약을 하고 있었다. 계획했던 것보단 조금 비싼 월세였지만 집은 깨끗했고, 광고대로 모든 가구는 새것처럼 보였다. 게다가 내가 들어오는 날에 맞춰 침대 매트리스까지 새로 바꿔준다는 말에 마음속으로 만세를 불렀다. 하지만 그런 마음을 들키고 싶지는 않았다. 진중한 표정으로 몇 분 정도 이곳저곳을 살펴봤고, 결국 나는 말했다.

"계약할게요." 결의가 가득했던 내 말을 들은 아주머니는 "진짜 계약 할 거야? 지금 바로 입금하면 뒤에 오기로 약속돼있는 사람들 취소할게. 확실해?"라고 말하며 하던 청소를 멈추고 고무장갑을 벗어 계약서를 꺼내 보였다. 캐나다에서 쓰는 세 번째 계약서.[6] 처음엔 아무 의심 없이 서명하고 순식간에 계약을 끝냈던 나는 그새 달라져 있었다. 계약 내용 1번부터 마지막까지 잘 모르는 단어는 사전을 찾아가며 정확한 뜻을 찾았고, 이해가 안 되는 부분은 하나하나 질문했다. 몇 번의 확인을 거듭한 후 나와 주인 아주머니는 서명란에 나란히 서명했다. 드디어 진정한 '토론토 살이'가 시작된 것이다.

보증금 개념으로 첫 달과 마지막 달 월세를 한꺼번에 내야 하는 조건이라 통장은 순식간에 가벼워졌지만, 호스텔로 돌아오는 발걸음은 그보다 더 가벼웠다. 호스텔 로비에서 그동안 함께

[6] 책엔 없지만, 빅토리아에서 한 번 이사했었다. 그래서 세 번째!

각자 살 집을 찾던 비슷한 처지의 멕시코, 브라질, 호주 친구들도 소식을 듣고는 자기 일처럼 기뻐했다. 그러고는 “방 사진은 있어?”, “위치는 어디야?”, “월세는 얼마야?”와 같은 질문을 속사포로 던져댔다. 그들에게 하나하나 설명해주며 스스로 무엇인가를 이룬 것처럼 으스댔다. 이제 시작일 뿐인데 말이다. 하지만 그 순간은 세상을 다 얻은 기분이었고, 즐기고 싶었다. ‘그다음 걱정은 그때 하자!’라는 완벽한 정답을 내린 후 어느 때보다 홀가분한 호스텔에서의 마지막 밤을 보냈다.

다음 날. 또다시 23kg짜리 캐리어 두 개와 터질 것 같은 배낭 하나를 짊어진 채 새로운 보금자리로 향했다. 설레는 마음으로 1층 현관을 들어서 방문을 열려고 하는데, ‘철컥’. 이게 무슨 일인가. 분명히 주인아주머니가 미리 주신 키로 문을 열려고 하는데 문이 열리지 않는다. 열쇠를 이리 돌리고 저리 돌리며 문을 열어보려 안간힘을 쓰지만, 맞지 않는 열쇠로 아무리 해 봤자 열리지 않기는 매한가지였다. 주인아주머니께 이 슬픈 상황을 설명하자 한 시간 내로 가겠다며 연신 미안해하셨다. 그렇게 기다리고 또 기다려 정확히 한 시간 만에 주인아주머니가 오셨고, 열쇠가 바뀐 것 같다며 꼭 맞는 열쇠를 주셨다. '우여곡절이 이런 상황을 두고 하는 말인가, 내 방을 이렇게 힘들게 들어올 줄이야.'라는 생각과 함께 드디어 방에 들어갈 수 있었다. 온종일 무거운 짐과 씨름해서인지 몸은 이미 녹초였고, 짐을 풀 생각은 하지도 못한 채 그대로 침대에 누워 잠이 들어버렸다.

그러길 또 한 시간. 꿀 같은 낮잠을 뒤로한 채 가방에 꾹꾹 눌러 담았던 옷가지들을 꺼내 차곡차곡 정리를 시작했다. 한국에서 입고 왔던 두툼한 패딩, 혹시나 캐나다에서 운동하지 않을까 싶어 챙겨왔던 운동용 장갑, 빅토리아에서 일할 때 신었던 검은 운동화까지. 모든 물건에는 저마다의 이야기가 있었다. 추운 2월 어느 겨울날, 태어나서 한 번도 와 본 적 없는 도시에서의 매섭고 외로웠던 겨울을 함께 견뎌준 패딩. 결국 6개월 동안 한 번도 끼지 않은 미안한 운동용 장갑. 그리고 닳을 대로 닳은 검은 운동화. 그 이야기들 하나하나가 머릿속을 스쳤고, 어느덧 짐 정리는 뒷전이었다.

'그때는 참 힘들었는데, 지금 와보니까 아무것도 아니네.' 사연 많은 물건들을 하나둘 서랍 속으로 정리할 때 느꼈던 감정은 오묘했다. 그리고 앞으로 새롭게 쓰일 이야기들이 기대됐고, 궁금했다. 어떤 곳에서 일하게 될지, 어떤 사람들을 만나고 또 어떤 새로운 추억이 만들어질지 아무것도 모르지만, 그래서 더 기대됐던 토론토 내 방에서의 첫날밤은 그렇게 천천히 흘러갔다.

모든 영광을 TIFF에게

사실 빅토리아에서 토론토로 이사 온 가장 큰 이유는 토론토국제영화제를 보기 위해서였다. 원래는 자원봉사자로 참여해서 영화제 깊숙이 들어가 직접 몸으로 부대끼고 싶었지만, 상황이 여의치 않아 그건 포기했다. 하지만 관객이 되는 것까지 포기할 수는 없었다. 마침 토론토로 이사 온 때가 영화제 시작 기간과 맞물려 있어 마음만 먹으면 쉽게 영화제를 즐길 수 있었다. 한국에서도 부산국제영화제와 전주국제영화제를 관객으로 경험한 적이 있었지만, 이곳에서의 영화제 규모는 더 엄청났다. 토론토 다운타운 곳곳에 있는 굵직한 극장들에선 모두 영화제 출품 영화를 상영하고 있었고, 미리 티켓만 예매했다면 유명한 배우들과 함께하는 GV도 참여할 수 있었다. 물론 미리 티켓을 예매한 경우다. 당연히 미리 예매하지 않은 나는 이미 매진된 유명한 영화들은 보기가 어려웠다.

그러던 중 눈에 들어온 제목 'Bring me home'. 우리말로는 '나를 찾아줘'. 배우 이영애의 14년 만의 스크린 복귀작으로 토론토에서 전 세계 최초 개봉이었다. 한국에서 아직 개봉하지 않은 한국 영화를 외국에서 먼저 볼 수 있다는 희열에 고민 없이 티켓을 끊고 극장으로 향했다. 영화 상영 전 줄을 선 사람 중엔 한국인들도 있었지만, 대부분은 외국인들이었다. 우리나라 영화에 관심을 갖는 외국인들이 이렇게나 많다고 생각하니 내가 만든 영화도 아닌데 잠깐 어깨가 으쓱해졌다. 누구보다 일찍 상영관 앞에서 기다린 나는 가장 좋은 자리에 앉아 영화를 즐길 수 있었다. (자세한 영화 이야기는 하지 않겠다. 혹시 못 보신 분들은 꼭 보시길. 이영애 배우는 최고다) 영화제의 클라이맥스 GV 시간. 아쉽게도 이영애 배우를 볼 수는 없었지만 직접 각본을 쓰신 감독님의 이야기를 들을 수 있었다. 객석 이곳저곳에서 영화 내용에 관해 질문이 쏟아졌다. 한국말로 대답하신 감독님 덕분에 통역 없이 바로 알아들은 나는 다른 관객들이 감독님의 위트에 웃기 5초 전 먼저 웃을 수 있는 영광을 누렸다. 그리고 GV 시간 이후 끝까지 기다려 상영관 앞에서 감독님과 사진을 찍을 수 있는 영광까지 갖게 됐다. 훗날 감독님이 더 유명해지시면 좋겠다.

며칠 뒤 영화 '기생충'이 TIFF에 출품했다는 소식을 들었다. 남들은 일찌감치 들은 소식을 왜 항상 늦게 알까 하는 생각이 들긴 했지만, 자책할 시간에 빨리 영화 상영 시간표를 확인하는 게 낫겠다 싶어 서둘러 확인했다. 다행히 아직 남은 상영 시간이 있었다. 물론 표는 매진이었다. 하지만 모든 상영관 앞에는 혹시 나올 수 있는 예매 취소 표를 기다리는 줄이 있었고, 그 줄에 서야겠다 싶어 서둘러 극장으로 향했다. 그리고 그곳에서 지금까지 본 줄 중에 가장 긴 줄을 보았다. 에버랜드 후룸라이드 대기 줄보다 길었고, 롯데월드 자이로드롭 줄보다도 길었다.

극장 앞에서부터 시작된 줄은 건물 옆 작은 공원, 그리고 그 옆 건물의 앞과 코너를 돌아 옆 부분까지 길게 늘어섰다. 모든 사람이 '기생충'의 취소 표를 기다리는 줄이었다. 취소 표 대기는 말 그대로 미리 예매한 사람들이 상영 시간에 늦거나, 개인 사정으로 취소한 표를 기다리는 것이다. 쉽게 말해 표를 얻을 가능성이 현저히 낮다는 것인데, 그 희박한 가능성에 기대 기다리는 사람들이었다. 그리고 그 중 한 명이 바로 나였다. 칸영화제 수상 효과로 더 유명해진 '기생충'을 보기 위해 쌀쌀한 날씨에도 기다리는 사람들을 보니 대단하다는 생각이 들었지만,

그 생각은 삼십 분, 한 시간을 넘어가니 점점 옅어졌다.

과연 예매를 취소하는 사람들이 있을까. 취소하는 사람이 있다 하더라도 내 앞에 있는 수십 명의 사람을 포함해 나까지 볼 수 있을까 하는 생각이 머릿속을 채웠다. 그러길 또 한 시간. 영화를 볼 수 있다는 마음을 조금 비웠다. 이제는 오기였다. 그러자 주변이 보이기 시작했다. 내 옆엔 나와 모습이 비슷한 아시안 여자 한 분이 있었다. 그분도 당연히 '기생충'의 취소 표를 기다리는 분이었는데, 옆을 슬쩍슬쩍 보니 카톡을 보내고 계셨다. 그렇다. 한국인이다. 말을 걸어볼까 말까 수도 없이 고민했다. 괜히 말 걸었다가 분위기만 어색해 지면 어쩌나 하는 생각에 망설였지만, 용기를 내서 한마디 던졌다.

"저... 이거 드실래요...?" 사실 낮에 영화제 행사 부스에서 받은 초콜릿이 있었는데 혼자 먹자니 민망하기도 하고, 서로 같이 고생하는 처지에 나눠 먹는 게 낫겠다 싶어 던진 말이었다. 대답은 "아 네…감사해요.". 그렇게 우리는 말문을 텄고 과연 영화를 볼 수 있을까, 이 사람들은 일없는 사람들인가, 생각보다 날씨가 춥지 않냐 등등 지금껏 속으로 궁금했던 말을 속사포처럼 내뱉었다. 나중에 알고 보니 이분도 내가 한국인인 걸 알고 말을 걸까 말까 고민하셨다고 한다. 역시 한국인은 말하지 않아도 통하는 부분이 있나 보다. 초콜릿을 나눠 먹은 우리는 동지애가 생겨 서로 통성명을 했다. 이분의 이름은 Y, 한국에서 토론토로 온 지 한 달 정도 된 워홀러였다. 그리고 Y는 며칠 뒤 나의 직장동료이자 토론토에서 가장 의지하는 누나가 된다.

Y는 다운타운에서 멀지 않은 스타벅스에서 일하고 있었는데, 매장에서 사람이 부족해 직원을 뽑고 있다고 말했다. 나는 혹시 이력서를 매니저에게 전해 줄 수 있냐고 물었고(내 가방엔 항상 이력서가 들어있었다. 사람 일은 모르니) 당연하다는 대답과 함께 Y는 내 이력서를 챙겨

가방에 넣었다. 그리고 “이제부터 내 동료가 되어라!”라는 든든한 말도 함께 남겼는데 진짜 며칠 뒤 간단한 면접 후에 나도 스타벅스에서 일하게 된 것이다. 역시 사람은 항상 준비되어있어야 하나보다.

다시 본론으로 돌아와서, 기다리다 지친 나와 Y는 영화 보기는 그른 것 같다며 포기 직전에 이르렀다. 그 때 Y의 친구 H가 왔는데 그녀는 TIFF의 자원봉사 일을 끝마치고 오는 길이었다. 그녀는 “오늘 봉준호 감독이랑 배우들 온다는데요?”라는 말을 던졌고, 그 말은 몇 시간 동안 딱딱한 돌 위에 앉아 기다리던 우리에게 방석과도 같은 말이었다. “영화야 나중에 정식으로 개봉하고 보면 되지. 배우들이 온다잖아! 대박이다.” 우리 셋은 극장 입구 쪽을 슬쩍슬쩍 보면서 혹시 배우들이 오나 눈치를 보기 시작했다. 그리고 뭔가 느낌이 온 듯한 때에 기다리던 줄을 과감히 포기하고 입구 쪽으로 위치를 옮겼다. 몇 분 뒤. 검은색의 육중한 캐딜락 차량이 줄지어 오는 게 아닌가. 떨리는 심장을 부여잡고 누가 내리나 뚫어져라 쳐다보고 있었는데, 정말이었다. 봉준호 감독을 비롯해 송강호 배우, 최우식 배우까지 모두 우리 눈앞에서 살아 움직이고 있었다. 그리고 소리쳤다.

"여기 좀 봐주세요! 이쪽에도 있어요! 여기요!!" 우리의 외침이 그들의 귀를 때린 것일까. 봉준호 감독은 우리 쪽으로 손을 흔들어 보였고, 최우식 배우는 쌍 엄지를 치켜들었다. 온몸에 소름이 돋았다. 이렇게 가까운 거리에서 유명인을 본 것도 처음이었지만, 그 장소가 우리나라가 아닌 외국이라는 것도 처음이라 더 놀라운 순간이었다. 송강호 배우는 생각보다 키가 정말 컸고, 최우식 배우는 생각보다 더 잘생겼으며, 봉준호 감독은 너무 생각한 그대로라 놀랐다. 불과 몇 시간 전에 태어나서 처음 본 사이인 나와 Y, H는 몇 년 동안 알고 지낸 사이처럼 손뼉을 치며 부둥켜안았다. 스크린에서만 보던 분들을 불과 몇 미터 떨어진 곳에서 보다니. 미친 듯이 신났던 우리는 단 한 표의 예매 취소 표도 나오지 않았다는 이야기를 들었지만 행복했다. 그리고 그냥 집에 돌아갈 수 없어 근처 한국 치킨집에서 세상을 다 얻는 기쁨으로 신나게 치맥을 했다. 그렇게 우리의 강렬했고, 요란했던 첫 만남은 끝이 났다.

외국에서 전 세계 최초 개봉한 우리나라 영화를 본 것도, '기생충'의 주역들을 코앞에서 본 것도, 길에서 만난 인연이 토론토에서 가장 소중한 인연이 된 것도. 모두 TIFF 덕분이다.

이 모든 영광을 TIFF에게 돌린다.

엄마가 사랑하는 아들에게

아직 토론토에서의 진정한 겨울을 겪진 못했지만 '이만큼 추울 수 있을까'라는 생각을 하게 만드는 9월을 살아내고 있었다. 처음 토론토에 왔을 때 자신만만하던 모습은 어디로 간 지 오래였다. 생각보다 길어진 구직 기간, 점점 줄어드는 통장 잔고, 아는 사람 하나 없는 곳에서 느끼는 사무치는 외로움은 나를 세상 누구보다도 춥게 만들었다. 솔직히 약간 후회도 했다. '빅토리아에서 잘 적응하며 살고 있었는데 왜 굳이면 이곳까지 와서 사서 고생을 하려 했을까'라는 생각이 문득문득 찾아왔다.

그래도 운이 좋게 평소 일해보고 싶었던 스타벅스에서 일하게 되었지만 갓 일을 시작한 나에게 대도시의 스타벅스는 감당하기 벅찼다. 가끔 과하다 느낄 정도로 친절했던 빅토리아 사람들과는 달리 캐나다에서 가장 바쁘게 돌아가는 도시인 토론토에 사는 사람들은 상대적으로 차가웠다. 다들 자기 삶에 바빠 보였고 지하철을 놓치지 않으려, 버스 안에서 자리에 앉으려 매일매일을 전쟁처럼 살아내고 있었다. 예상했던 것처럼 서울의 모습과 정말 비슷했다. 그런 모습을 직접 보고 싶고, 겪어 보고 싶어서 왔지만 실제로 부딪히며 살아보니 내 몸과 마음은 빅토리아의 여유로움과 친절함에 이미 적응이 된 후라는 걸 간과했다.

한국에 있을 때 카페에서 일해 본 적은 있었지만, 캐나다에서는 처음이라 모든 것이 어려웠다. 게다가 많은 손님들이 기존 메뉴 그대로 시키지 않고 취향에 따라 이것은 빼고, 저것은 넣고 하는 경우가 너무 많아 제대로 알아듣기조차 힘들었다. 우유의 종류는 야속하게도 얼마나 다양한지 2%, 저지방, 락토스 프리, 크림, 아몬드, 그리고 코코넛 우유가 있었는데 가끔 두 가지 우유를 섞어달라는 손님도 더러 있었다. 모든 게 쉽지 않았다. 실수는 자연히 잦아지고 빅토리아에서 충분히 다졌다고 생각한 자신감은 추락해 갔다. 같이 일하는 동료들은 잘하고 있다고 연신 격려해 주었지만, 그 말들은 내 귀에 들어오기 전에 이미 날아가 버리기 일쑤였다. 힘들 땐 누가 힘내라고 해도 힘든 법이고, 이미 힘내고 있는데 또 힘내라고 하면 짜증만 날 뿐이다.

'진짜 내 집'에 너무 가고 싶었다. 따뜻한 온돌 난방을 틀어놓고 극세사 이불이 포근하게 몸을 감싸는 내 침대에 누워 시간 가는 줄 모르게 자고 싶었다. 일요일 아침 부엌에서 들려오는 도마에 칼질하는 소리에 '오늘 아침은 뭘까?' 하며 일어나고 싶었다. 자주 가는 단골 돈가스집에서 늘 먹던 메뉴를 시켜 항상 앉던 자리에 앉아 먹고 싶었고, 동네 친구들을 불러 모아 맥주 한 잔 같이 하고 싶었다. 한국에 있을 땐 너무나도 평범했던 일상들이 그리웠고, 이곳에선 그 평범함이 더는 평범함이 아닌 특별함이라는 것을 알게 되었다. 그런 생활을 반복하던 중 한국에서 반가운 소포 한 개가 왔다. 사실 이 전에도 광주에 사시는 이모가 광천김, 깻잎, 국, 찌개 등 종류를 가리지 않고 보내주신 적이 있었다. 이번엔 엄마가 보낸 택배였다. 소식을 듣고 카페 마감을 끝내자마자 택배를 보관하고 있다는 집 앞 슈퍼에 들렀다. 주인아주머니는 택배가 너무 무겁다며 안쪽으로 와서 직접 들고 가라고 하셨다. 택배를 집까지 옮기는 시간은 크리스마스 선물을 앞에 두고 뜯기만을 기다리는 어린아이처럼 설렜다.

'엄마는 내가 국 좋아하는 걸 아니까 국을 보냈겠지?', '매콤한 것도 먹고 싶은데 들어있으려나'. 기분 좋은 상상을 하며 집에 도착하자마자 택배 상자 겉면을 자세히 봤는데 '마음까지 전하는 우체국 택배'라고 적혀있었다. 타국에서 한글로 포장된 택배를 받는다는 게 얼마나 설레고 기쁜 일인지는 직접 받아본 사람 말고는 아마 모를 거다. 일단 한글에 한 번 감동하고 조심, 또 조심 상자를 뜯었다. 상자 안에는 역시 내가 좋아하는 여러 종류의 국과 찌개들로 가득했다. 매콤한 떡볶이도 들어있었고, 가끔 죽 먹는 걸 좋아하는 아들의 취향까지 완벽히 기억하고 넣은 죽도 있었다. 하지만 그 음식들보다 먼저 눈에 들어온 건 가장 위에 놓여있던 하얀 편지 봉투였다. 봉투엔 '엄마가, 사랑하는 아들에게'라고 적혀있었고, 익숙한 글씨체의 그 글을 보자마자 덜컥 눈물이 날 뻔한 걸 참고 또 참았다. 봉투가 망가지지 않게 조심히 열어본 두 장의 편지엔 엄마의 진짜 마음이 담겨있었다. '마음까지 전한다'는 우체국은 거짓말을 하지 않았다.

엄마의 마음은 아래와 같다.

사랑하는 내 아들 용진아!

캐나다로 간 지 7개월이 지났네.
겨울에 갔는데 봄, 여름이 지나고 이제 가을이야.
엄마는 말이 통하는 우리나라에서도 혼자 다른 도시 가는 게 두려운데 우리 아들은 정말 대단하고 대견하다. 출장 이외엔 가본 적이 없는데 엄마도 용기를 좀 내볼까? ㅋㅋ
빅토리아에서 그 힘든 일을 하면서도 잘 지내는 모습이 보기 좋더라.
그런데 캐나다 가장 큰 도시로 새로운 모험을 하러 떠나는 아들을 보니, 한 편으로는 걱정이 되면서, 또 한 편으로는 얼마나 대견하던지~
용진아! 정말 정말 사랑하는 나의 아들 용진아!
엄마 품 안에서 오글대던 꼬맹이가 어느새 훌쩍 자라 세계를 누비고 있구나.
물론 지금의 용진이가 되기까지는 많은 노력과 고통과 아픔, 슬픔이 있었지. 그러나 그것이 우리 아들에겐 밑거름이 된 것 같아 정말 자랑스러워.
앞으로 살다 보면 어떤 일이 펼쳐질지 아무도 모르

지만 두려워하지 마.
우리 아들은 어떤 일도 잘 헤쳐나갈 거라 믿어.
그러나 용진아!
가끔은 힘듦을 내려놓고 쉼도 필요해.
스스로를 칭찬해 주고 다독여 주고 쉬게 해야 해.
쉼 없이 달리기만 하면 오랫동안 달릴 수가 없단다.
가끔은 눕기도 하고, 걷기도 하고, 멍도 때리고 해야 길게 갈 수가 있어.
우리 진이는 현명하니까 잘 조절할 거라 믿어.
그리고 너무 막막하다가도 주변을 잠깐 돌아보면 누군가 힘을 주기도 하더라고.
내 아들 진아!
마음도 따뜻하고 의지 또한 굳건한 진아!
캐나다라는 타국에서 7개월을 살았다는 것은 정말 대단한 거야. 스스로를 많이 칭찬해 줘.
한국에서도 못 한 스벅 알바를 캐나다에서 하다니~ 쓰담쓰담^^
바쁘고 힘들 텐데도 잊지 않고 할머니 챙기는 착한 아들아!
할머니는 항상 우리 진이 생각뿐이셔. 아마도 할머

니의 그 기운과 기도가 우리 아들에게 힘과 용기를 줄 거야.
우리 아들이 어디에 있든 항상 염려하고 잘 지내길 바라는 가족들이 있다는 거 생각해서 힘내.
이곳 한국은 아침저녁으로는 제법 선선해.
거기는 더 춥겠지? 건강 잘 챙겨라.
엄마는 울 아들이 아프지 않고 잘 지내기만 하면 돼.
이것저것 사서 보낸다. 마트에 가서 사면서 맘이 찡하더라. 인스턴트 밖에 못 보내니 안타까우면서도 타국에서 먹을 우리나라 음식이라고 생각하니 하나라도 더 보내고 싶더라.
인터넷에 보니 해외 택배 제한 무게가 있더라. 거기에 맞춰서 샀어.
나중에 또 필요하면 말해.
엄마는 항상 언제나 울 아들 편이고, 응원군이야.
매일매일 웃는 날 되렴. 진짜 진짜 사랑해.

2019. 9. 30. (일) 한국에서 엄마가

두 장의 종이에 꽉꽉 채워진 글자들 속에 담긴 엄마의 마음을 곱씹고 또 곱씹으며 몇 번이나 읽었는지 모른다. '다른 사람들이 다 나에게 등 돌리고 손가락질하더라도 누군가 딱 한 명 내 편이 되어 줄 사람이 있다면, 그 사람은 분명 우리 엄마겠구나.'라는 생각이 한동안 머릿속을 떠나지 않았다. 든든한 응원군이 매 순간 함께한다는 건 세상 그 어느 것보다 큰 축복이지 않을까.

다른 가까운 지인이나 친구들이 "많이 힘들었겠다.", "많이 슬펐겠다."라고 내 감정을 추측해서 위로해 줄 때 편지 속 엄마는 "많이 힘들었지", "많이 슬펐지"라고 말해주었다. 누구보다 내가 지내온 시간, 살아온 시간을 알기에 가능한 위로고, 응원이었다. 가식 없는 그 사랑과 위로가 가득 담긴 편지를 읽고 난 후 다시 한번 조금 더 힘내 보자고 스스로 다짐했다. 지금까지 잘 해왔기에, 앞으로도 잘 할 수 있을 거라고 말이다. 가끔 작은 돌부리에 걸려 넘어지기도 하고, 가볍게 넘길 수 있는 사람들의 시선이나 말투에 상처받기도 하는 막내아들이지만, 나에겐 든든한 엄마가 있기에. 그리고 가족이 있기에.

나이아가라에서 만난 인연

워킹홀리데이 기간 중 가장 궁핍한 한 달을 살고 있었다. 토론토에서 첫 월급을 받기 전이었기 때문에 일주일을 10달러 조금 넘는 돈으로 살아야만 했고, 자연히 대부분의 끼니는 집에서 해결했다. (한국에서 온 택배가 없었다면 굶어 죽었을지 모를 정도였다) 정작 토론토에 와서 다운타운 지역을 제외하곤 다른 곳을 구경할 여유조차 없었다. 더 많은 경험을 쌓기 위해 온 곳에서 오히려 더 통제된 삶을 살고 있다는 생각이 머릿속을 가득 채우는 나날들이 계속되었다.

여느 날과 다름없이 8시간 넘게 온종일 서서 일하고 집으로 돌아와 간단히 저녁을 먹은 뒤 쉬고 있었다. 내일은 6일 만에 찾아온 금 같은 휴무였고, 별다른 계획 없이 다운타운에 있는 카페에서 커피 한잔해야겠다고 생각했다. 하지만 뭔가 아닌 것 같았다. 날은 점점 추워지고 있었고, 캐나다 동부지역 추위의 대단함에 대해 익히 들어 알고 있었기 때문에 더 추워지기 전에 가까운 지역이라도 짧게나마 여행하고 싶었다. 그러던 중 생각난 곳이 바로 '나이아가라 폭포'였다.

토론토에서 버스로 1시간 반에서 2시간 정도 떨어진 곳에 있는 세계 3대 폭포 중 한 곳. 이름만 수도 없이 들었던 그곳! '나이아가라'는 명탐정 코난이 사건의 단서를 알아챘을 때 등장하는 머릿속 빠른 빛처럼 나에게 찾아왔다. 왜 진작 그 생각을 하지 않았을까 하는 아쉬움은 뒤로 한 채 부랴부랴 인터넷에서 관련 정보를 찾았고 '카지노 버스'를 타는 방법이 가장 효율적이라는 것을 알게 되었다. 다음날 가장 빨리 출발하는 차를 타기 위해 새벽 6시에 알람을 맞춰 놓고 설레는 마음으로 급히 잠을 청했다.

그리고 정확히 새벽 5시 57분. 출근하는 날에는 수도 없이 울리는 알람에도 잘 떠지지 않던 눈은 알람이 채 울리기도 전에 스스로 떠져버렸다. 토론토로 이사 오고 난 후 여행다운 여행은 처음이라 얼마나 설렜는지. 마치 초등학생이 소풍 가는 날 엄마가 깨우지 않아도 새벽같이 일어나 오히려 엄마를 먼저 깨우는 것처럼 누구보다 부지런한 어린이가 되었다. 당일치기의 짧은 일정이라 준비할 짐도 별로 없어 가벼운 마음과 가벼운 몸으로 셔틀버스를 타기 위해 집을 나섰다. 출근길엔 그렇게 우울해 보이던 사람들의 얼굴은 세상 행복해 보였다. 분명 평소와 다름없는 그들일 텐데 내 마음이 행복하니 모두 행복해 보였다. 그 어느 때보다 떨리는 마음으로 도착한 장소엔 아직 아무도 없었다. 워낙 이른 시간이기도 했지만, 너무 흥분한 나머지 셔틀버스 출발 시간보다 훨씬 더 일찍 갔기 때문이기도 했다. 팀홀튼에서 간단하게 커피 한잔하며 시간을 보내고 나니 드디어 사람들이 하나둘 모이기 시작했다.

당장 하루 전에 결정한 나이아가라 여행이라 셔틀버스 좌석 예약을 미리 하지 못한 나는 혹시 빈자리가 없진 않을까 마음 졸이고 있었다. 그러던 중 뭔가 동질감이 느껴지는 외양의 동양인 부부를 만나게 되었다. 수 많은 중국인들 속에서(카지노 버스 회사가 중국 회사다) 한국인의 동질감을 느낀 나는 먼저 다가가 나이아가라로 가시는 거냐고 물었고, 그들 또한 나이아가라행 셔틀버스를 기다리는 중이라 답했다. 남자분의 손에는 반가운 대한민국 여권이 들려있었는데, 무엇을 확인하려고 하셨는지 속을 훑어보시는 걸 옆에서 흘깃 보았다. 누가 봐도 여러 나라의 도장이 빽빽했다.

그때 알아챘다. 이들은 예사 여행자가 아니다. 물어보고 싶은 질문은 많았지만 불과 십 분 전에 만난 분들한테 이것저것 물어보는 건 실례라는 생각에 꾹꾹 참고 기다렸다. 그러길 수 분. 드디어 기다리던 셔틀버스는 도착했고, 미리 예약한 부부는 "걱정 말아요! 탈 수 있을 거에요. 버스 안에서 봐요!"라고 말하며 먼저 버스에 올랐다. 예약한 사람들의 탑승이 완료된 후 예약하지 않은 사람들의 탑승도 시작됐는데, 다행히 나도 그중 한 명이 되었다. 버스에 오르자마자 부부와 마주친 나는 환하게 웃으며 "저 탔어요!" 라고 외쳤고 부부는 마치 그들의 일처럼 축하해줬다.

그렇게 끝나는 줄 알았다. 그저 외국에서 만난 같은 국적의, 같은 말을 쓰는 사람들이 잠깐 인사한 정도로 말이다. 우연과 같은 짧은 만남에 큰 의미를 두지 않은 채 버스에서 한 시간여 눈을 붙이자 차창 밖으론 어느새 하늘 높이 솟은 호텔과 리조트가 보였다. 곳곳엔 '나이아가라'

라는 글씨가 적혀있었다. 드디어 온 것이다. 나이아가라에!

당일치기라는 시간적 압박에 마음이 급해 도착하자마자 폭포를 보기 위해 발걸음을 재촉해야만 했다. 하지만 폭포로 향하는 길조차 너무 아름다워서 마음먹은 것처럼 빠르게 갈 수 없었다. 이곳도 사진 찍고, 저곳도 찍고 쉴 새 없이 셔터를 눌러대고 있었는데 어디선가 작지만 웅장한 소리가 들려왔다. 분명 가까이서 들리는데 크지도 작지도 않은 소리. 폭포 소리였다. 사람들이 향하는 쪽을 따라 가보니 그곳엔 미국 쪽에 있다고 해서 이름 붙여진 '아메리칸 폭포(American Falls)'가 웅장하게 있었다. 일단 크기에 한 번 놀랐다. 태어나서 단 한 번도 이렇게 큰 폭포를 본 적이 없었다. 물론 폭포가 크기만 크다고 해서 최고가 되는 것은 아니지만 크기는 물론이고 그 크기에서 나오는 웅장함은 압도당하기 충분했다.

날은 쾌청했고 하늘은 높았지만, 비가 내리고 있었다. 그 비는 진짜 비가 아니라 폭포에서 떨어지는 물이었는데 폭포 근처 도로는 이미 촉촉이 젖은 지 오래인 듯 보였다. 평소 같았으면 옷이 젖는다며 있는 짜증 없는 짜증을 모두 긁어모아 분출했을 나는 평소 같지 않았다. 이렇게 특별한 비를 또 언제 맞아보겠냐는 생각에 오히려 해만 쨍쨍한 날보다 기분이 더 좋았다.

그렇게 감성 가득한 비에 옷을 적시며 걸어가던 중 사람들이 연신 카메라 셔터를 눌러대는 쪽을 바라봤는데, 조금 전에 압도 당했던 폭포와는 비교도 안될 크기의 폭포가 자리 잡고 있었다. 이름은 '홀스 슈 폭포(Horseshoe Falls)'. 말의 발굽 모양을 닮았다고 해서 붙여진 이름인데 이름처럼 둥그런 모양으로 된 절벽에서 엄청난 양의 물이 미친 듯이 쏟아지고 있었다. 우리가 흔히 나이아가라 폭포를 말하면 머릿속에 떠올리는 모습이 내 눈앞에 펼쳐졌다.

폭포가 만들어낸 장관에 흠뻑 취해 젖어가는 핸드폰의 화면을 연신 닦아대며 사진을 찍었다. 지나가는 외국인들에게 사진 좀 찍어 줄 수 있겠냐며 수줍게 부탁하길 반복하니 어느덧 시간은 금세 흘렀고, 왔던 길로 되돌아가던 중 익숙한 뒷모습이 보였다. 자세히 보니 아침에 만났던 그 한국인 부부였다. 서로를 알아챈 우리는 반가운 마음에 환하게 인사를 나눴다. 부부는 혼자 온 나를 위해 먼저 "사진 찍어드릴까요? 혼자 여행하면 사진찍기 어렵잖아요."라고 말을 건네주었다. 그렇지 않아도 마음에 드는 사진을 하나도 건지지 못한 나는 감사한 마음에 바로 자세를 잡았고, 부부는 정말 최선을 다해 사진을 찍어주었다.

나도 보답으로 폭포 위에 뜬 무지개를 배경으로 부부의 사진을 찍어 드렸고, 그렇게 자연스레 대화는 시작되었다. 부부는 1년이 넘는 시간동안 전 세계를 누비는 중이었다. 캐나다는 마지막 행선지인 남미로 향하기 전 잠깐 들른 곳이었는데 그 짧은 시간에 우연히 내가 그들을 만난 것이다. 세계여행 중이라는 말을 듣자마자 아침에 본 남편분의 여권 속 수 많은 도장의 비밀이 순식간에 풀렸다. 까무잡잡한 피부에 꾸미지 않은 부부의 모습이 세상 어느 부부보다 멋져 보였다. 사랑하는 사람과 지구라는 행성을 함께 탐험한다는 것 자체가 나에겐 꿈과 같은 일인데 그 꿈을 실제로 해내는 사람들을 보니 내가 더 설레고 기뻤다.

여행이라는 공통관심사가 있던 우리의 대화는 막힘 없이 흘렀다. 부부는 어느 곳이 여행하기 좋은지, 어느 곳이 위험한지 아낌없이 얘기해주었다. 그 이야기들은 지금 내가 그곳을 여행하고 있는 것처럼 생생했다. '여행'이라는 두 글자가 잔잔하게만 뛰던 심장을 빠르게 만들었고, 잠시 잊고 있었던 '설렘'이라는 감정을 깊은 저곳에서 꺼내주었다. 만약 이 짧은 휴무를 평소와 다름없이 커피 한 잔 마시는 것에 만족하고 보냈다면, 절대 느끼지 못했을 뜨거운 설렘을 나이아가라 폭포 앞에서 느꼈다. 그리고 생각했다. '역시 나는 여행 할 때가 제일 행복하다.'라는 것을.

조금 일찍 일어나서 피곤하고, 넉넉지 않은 통장의 사정은 더 넉넉지 않아지겠지만, 여행이 주는 설렘이 나에겐 너무 크다는 것을 말이다. 짧은 시간 동안 전해 들은 부부의 이야기 속에 내가 있길 바랐다. 한 달 정도만 있기로 했던 이집트 다합에 빠져 석 달이나 넘게 있었다는 이야기. 아프리카 사파리에서 직접 차를 몰고 다니며 기린, 얼룩말을 눈앞에서 봤다는 이야기. 그 이야기 속에 주인공이 내가 되길 바랐다. 그리고 그런 나의 모습을 본 부부는 몇 번이고 말했다.

"할 수 있어요!"

"여행 다니다 보면 저희는 아무것도 아녜요. 훨씬 더 특별하고 재미있게 여행하는 분들이 많아요. 아직 어리잖아요! 저희는 서른 훨씬 넘어서 하는데 뭐가 걱정이에요."

"용진 씨도 할 수 있어요."

부부가 진심으로 해주던 그 말은 다른 어느 누가 하는 말보다 힘이 있었다. '나도 할 수 있다.'는 그 말. 직접 경험하고 있는 사람에게 듣는 그 말은 믿을 수 있었다. 아니 믿고 싶었다. 나도 할 수 있다고 말이다.

당일치기 나이아가라 폭포 여행은 1년 동안의 워킹홀리데이 기간 중 가장 짧지만, 가장 강렬한 여행이 되었다. 폭포가 주는 웅장함과 아름다움도 강렬했지만, 그곳에서 만난 부부와 짧지도, 길지도 않은 그 대화에서 얻은 힘은 더 강렬했다. '여행 좋아하는 사람 중에 나쁜 사람 찾기 어렵다.'라는 말이 있다. 그만큼 여행이 주는 선한 힘이 강하는 말일 것이다. 나는 여행이 좋다. 여행할 땐 비가와도 행복하고, 힘들게 찾아 들어간 음식점의 음식이 조금 맛이 없어도 행복하다. 그 순간들 하나하나가 모여 여행의 기억을 이루게 될 것이고, 그 기억의 조각들은 시간이 흘러 추억의 퍼즐을 완성할 테니 말이다. 앞으로 펼쳐질 토론토에서의 시간도 기대되고 그 이후의 시간도 기대하게 만든 이 짧은 여행은 그 어느 여행보다 마음속 깊숙이 남을 것이다.

그리고 이제 돈 걱정은 조금만 하기로 했다. 어차피 내 지갑에 돈이 넘쳤던 적은 없었으니까!

아들이 사랑하는 엄마에게
부치지 못한 편지

엄마.
엄마 아들 용진이야.
편지를 써야지 써야지 해놓고 이제야 쓰는 나의 게으름을 용서해 주길 바라.
지금 이곳은 상당히 추워. 눈도 많이 오고, 바람도 많이 불고. 가끔 바람이 너무 서럽게 많이 불어서 슬프기까지 해.

엄마가 있는 한국은 어떤지 모르겠다. 한국 뉴스를 보니 이제 첫눈이 내리고 진짜 겨울이 찾아온 것 같던데 감기는 걸리지 않았나 걱정된다.
사실 난 지금 감기 걸렸어.
근데 감기 걸렸다고 위로해 주는 사람이 옆에 없어서 참 서럽고 외롭네.
엄마가 옆에 있었다면 열은 안 나는지 이마에 손도 얹어 볼 거고, 목이 많이 약하니까 전자레인지에 따뜻하게 물도 데워 줄 텐데. 여기는 그렇게 해주는 사람이 없어.
목이 너무 아파서 목소리가 갈라지는 데도 일은 해야 하고, 손님들한테는 친절해야 해.

내가 선택해서 이곳에 왔고, 많은 순간이 즐겁고 행복했는데 이렇게 가끔 아플 때면 집 놔두고 왜 외국까지 나와 사서 고생하고 있나 싶기도 해.
그래도 다시 생각해 보면, 이곳에 와서 이런 경험도 해보고, 고생도 해보니까 엄마가 건네주던 그 말 한마디, 그 따뜻한 물 한 잔이 얼마나 소중한 건지 알게 되는 것 같아 좋은 것 같기도 하고.
참 어렵다 어려워.

이제 나이는 이십 대 후반을 향해 미친 듯이 달려가는데 왜 마음은 어려지는 것만 같은지, 왜 시간이 가면 갈수록 엄마한테 더 투정 부리고 싶고 엥기고 싶은지 모르겠다. 누가 보면 아직 철도 안 든 어린 애인 줄 알겠다 하하. 그게 뭐 어때, 남들이 그렇게 보든 말든 내가 그러고 싶은걸!

엄마, 처음 캐나다로 1년 동안 떠난다고 했을 때 응원해 주던 엄마의 그 말을 절대 잊지 못해.
어쩌면 지금까지 이 곳에서 혼자 살아간 것도 그 응원과 기도 덕분이었는지 몰라.

아니 분명 그 덕분일 거야.
남의 시선 신경 쓰지 않고 내가 원하는 길로, 내 행복을 찾아 살아가는 게 최고의 길이라고 가르쳐 줘서 항상 고마워.

엄마는 어떻게 생각하고 있을지 모르겠지만, 엄마는 나에게 그 누구와도 비교할 수 없는 세상 최고의 엄마야.

일하느라 바쁜 와중에도 엄마는 그 누구보다 형과 나에게 최선을 다했고, 지금 이 순간도 최선을 다하고 있다는 걸 알고 있어.
엄마가 젊었을 적, 지금 내 나이 즈음 되었을 때 이미 결혼하고 가정을 꾸리고 있었겠지.
형이 생기고, 내가 생기고.
수많은 힘든 시간을 견뎌왔다는 걸 누구보다 잘 알아. 나는 지금 내 몸 하나 건사하는 것도 힘들고 벅찬데, 그 어린 나이에 아들을 둘씩이나 키워내느라 얼마나 힘들었어.

그 고마움은 평생 갚아도 못 갚겠지?
가끔 엄마가 손목이 아프다고 할 때마다 나 때문에 그런 것 같아 가슴이 너무 아파. 나를 낳자마자 산후조리할 새도 없이 바로 다시 일 하고, 또 일 하고. 여자가 아기를 낳을 때는 뼈가 다 뒤틀리고 부서지는 고통이 따른다는데, 분명 엄마도 그런 고통이 따랐을 텐데, 내가 더 잘해주지 못하고 있는 것 같아 너무 미안해. 앞으로 더 더 잘할게!

내가 이리 치이고, 저리 치이며 하루 종일 일하고 집에 돌아와 침대에 누우면 가끔 어렸을 때 생각을 하곤 해. 어렸을 땐 소풍 날 새벽에 엄마가 싸주는 김밥이 너무나 당연했고, 더운 여름날이면 매일 밤 보리차를 끓여 병에 담아 얼려두고, 아침에 챙겨주던 그 얼음물도 너무 당연했어. 다른 엄마들도 다 그렇게 해주는 줄 알았어.

근데 그게 아니더라고.
엄마는 우리보다 항상 먼저 일어나서 아침밥을 차렸고, 출근해서 온종일 일했어.

회식이 있는 날이면 혹여나 막내아들 저녁 굶을까 회식 장소로 가기 전, 집에 들러 저녁밥을 차려놓고 나갔지. 그게 너무 당연한 줄 알았는데, 당연한 게 아니라는 걸 26살이 된 지금에서야 알게 됐어.

엄마.
혹시 엄마 마음속에 더 잘 챙겨주지 못해서 미안한 마음이 있다면 절대 절대 그런 마음 갖지 마. 엄마는 엄마가 할 수 있는 한, 아니 그 이상의, 이상의, 이상의 사랑을 나에게 주었고, 나는 그 사랑을 받아 하루하루 살아갈 수 있었어.

사람들 그런 말 많이 하잖아.
다음 생에 태어나면 엄마가 내 딸로 태어났으면 좋겠다고. 그래서 이번 생에 받은 사랑 다 돌려주겠다고 말이야. 근데 엄마 나는 그 정도 효자는 못 될 것 같아.

만약 다음 생이 우리에게 주어진다면,
만약 그럴 수 있다면,

엄마.

다시 한번 내 엄마가 되어줘.

그때도 소풍 날 새벽에 김밥 싸는 엄마 옆에 앉아, 떠지지 않는 눈을 비비며 꽁다리 주워 먹는 아들이 되고 싶고, 엄마가 하는 떡볶이는 왜 파는 떡볶이 맛이 나지 않느냐며 투정 부리는 아들이 되고 싶어.

엄마.

나의 엄마가 되어줘서 정말 고마워.

나는 내가 엄마 아들이라서 참 다행이야.

엄마 내가 정말 많이 사랑해.

우리 앞으로 더 행복하자.

PS. 어렸을 때 엄마 다리 무다리라고 했던 거 미안해!

2019년 11월 20일. 캐나다 토론토에서

세상에서 엄마를 제일 사랑하고 존경하는 절친

막내아들 용진 올림

이게 향수병이라는 건가요?

반복되는 일상을 살다 보면 시간이 더 빨리 지나가는 것처럼 느껴진다고 한다. 매일 같은 시간에 일어나 같은 길을 걷고, 같은 장소에서 같은 사람들과 일을 한다. 어느덧 퇴근길에 오르고 집에 와 컴퓨터 잠깐, 핸드폰 잠깐 한 후 잠자리. 그리고 내일도, 그 다음 날도 별반 다르지 않은 하루하루를 살았다. 어쩌면 큰 사건 사고들이 매일 같이 일어나 정신없이 사는 삶보다는 이런 삶이 더 나을지도 모른다. 하지만 그런 시간은 지금껏 경험해 보지 못한 향수를 갖게 했다. 집을 떠나 캐나다에 온 지 어느덧 300여 일. 그간 잘 적응해 왔다고 생각했지만 나도 모르게 생겨난 그 깊은 그리움은 한 번 찾아온 후 좀처럼 나가질 않았다. 일은 어느 정도 적응해서 할 만했지만 가끔 찾아오는 약에 취하고 술에 취한 사람들 때문에 하루하루가 불안했다. 매출을 늘리기 위해 손님들에게 이것저것 추천하라는 매니저의 압박은 그렇지 않아도 벅찬 일을 더 벅차게 만들었다. 그렇게 매일 여덟 시간을 세상과 싸우고, 퇴근길 만원 버스에 올라 힘겹게 집에 오면 '이게 뭐 하는 짓인가.'라는 생각이 문득 찾아오기 시작하면서 미친 듯이 한국으로 돌아가고 싶어진다.

한국 카페에도 진상 손님은 있다. 하지만 적어도 약에 취해 도로 공사장에서 쓰는 고깔을 들고 와 부부젤라처럼 주문하는 사람은 없다. 화장실은 또 어떤가. 한국도 모든 카페 화장실이 깨끗한 것은 아니다. 하지만 적어도 화장실 변기에 앉아 바늘로 팔뚝을 찌르는 사람들은 없지 않은가. 이렇게 하나, 둘 한국과 캐나다를 비교해 가며 '내가 왜 이런 고생을 사서 하고 있나?'라는 물음이 시작되면 그 끝은 결국 '한국에 돌아가고 싶다.'로 닿게 된다. 같이 일하는 동료들은 평소와는 다른 나의 모습을 바로 알아챘다.

항상 웃는 얼굴에 농담을 주고받던 나의 모습이 어느 순간 어두운 그림자에 가려 사라졌기 때문이다. 무슨 일 있냐며 조심스레 물어보는 동료들의 물음에 일일이 설명하고 싶지 않아 애써 웃어 보였다. 그 웃음이 진짜 웃음이 아니라는 것을 아는 동료 A는, 손님이 없는 틈을 타 진지하게 나의 상태에 대해 물어봤다. 나는 답했다. "요즘 그냥 아무것도 하고 싶지가 않아. 하루에도 수십 번 한국으로 돌아가고 싶다가도, 막상 정말 돌아갈 생각을 하면 그곳에서의 생활이 걱정되고, 가고 싶지 않기도 해. 매일같이 보던 가족, 친구들이 그립고 일주일에 적어도 한 번은 가던 돈가스집도 너무 가고 싶어. 나도 내가 왜 이러는지 모르겠어." 말이 끝나기 무섭게 A는 "너 향수병인 것 같아."라고 답했다.

'향수병?' 생각지도 못한 답에 나는 적잖이 놀랐다. 그리고는 "아냐 그건 아닐 거야. 예전에 영화 같은 데서 보던 향수병은 살도 많이 빠지고 눈도 퀭하고 그런 거였는데? 근데 난 그 정도는 아니잖아."라고 말했다. 그렇다. 향수병은 아니라고 생각했다. 영화나 책에서 보고 들었던 향수병은 치료법도 따로 없어 심하면 죽기도 하는 그런 무서운 마음의 병 아니던가. 하지만 A의 답은 달랐다. "모든 병에는 그 정도의 차이가 있는 것처럼 너도 정도만 약할 뿐이지 향수병이 맞는 것 같아. 한국 떠나 온 지 1년 가까이 되어가는 거 아냐? 당연히 그럴 수 있을 때야. 일 끝나고 외로울 때나, 휴무 때 언제든 연락해! 같이 놀러 다니고 맛있는 것도 먹자."

울번했다.

나보다 나이도 어린 프랑스 아이에게 듣는 그 위로가 차디찬 마음을 따뜻하게 적셨다. 의사가 내린 진단도 아니지만, 그녀의 진단은 정확했다. 설사 향수병이 아니더라도 그렇다고 생각하고 싶을 정도로 A는 진지하게 내 고민을 들어줬다. 그 후 A는 시간이 날 때마다 나에게 연락했고, 같이 밥도 먹고 카페도 갔다. 나아가 A는 자신의 집으로 나와, Y를 (TIFF에서 만나 나를 스타벅스로 이끌어준 그 Y) 초대하기까지 했다. 다 같이 한국식당에서 저녁을 먹던 중 밥을 다 먹고 무얼 할지 몰라 고민하고 있던 차에 A는 "이곳에서 우리 집이 멀지 않은데, 너희 우리 집 가지 않을래?"라고 했고 나와 Y는 1초의 망설임도 없이 "Yes"를 외쳤다.

빅토리아에서 외국인 친구의 집을 한 번 가본 것 이후로 토론토에서는 처음이었다. 식당이나 카페가 아닌 친구의 집으로 직접 간다는 것 자체가 설레는 일이었기에 우리는 집 근처 Liquor store[7] 에서 저렴한 와인 한 병을 산 후 A의 집

[7] 캐나다에서는 일반 마트나 편의점에서 술을 판매하지 않고, 지정된 주류 전문 판매점에서만 술을 살 수 있다.

으로 향했다. 집은 근사했다. 룸메이트 한 명과 같이 살긴 했지만, 그 친구는 고향인 오타와로 잠시 돌아간 상태여서 넓은 집엔 우리 셋뿐이었다. 우리들은 냉장고에 있던 갖가지 재료들을 꺼내 이름 모를 음식을 만들었고 미리 사 온 와인과 함께 분위기도 한껏 잡았다. 와인에 음악이 빠질 수는 없어 A와 함께 '오 샹젤리제'를 부르며 세상 그 누구 부러울 것 없는 소박하지만 따뜻한 밤을 보냈다.

그날 이후 그렇지 않아도 친했던 우리들은 정말 동네 친구처럼 가까워졌고 시간이 날 때마다 함께 이곳저곳을 구경하며 서로의 외로움을 달랬다. 한국의 가족들을 만날 수는 없지만, 캐나다에서 가족과도 같은 사람들을 만나 따뜻한 시간을 보냈고, 동네 친구들과 맥주 한 잔 하는 게 꿈처럼 느껴지지만 이곳에서 새로운 동네 친구들을 사귀었다. 한때 우울의 낭떠러지 끝에 서 있던 나의 얼굴은 언제 그랬냐는 듯 이전보다 더 밝아졌고 실없는 농담을 던지며 웃고 떠드는 원래의 모습으로 돌아와 있었다. 생각해보면 빅토리아에서도 사무치는 외로움에 힘들어하던 적이 있었다. 그때도 같이 일하던 동료들 덕분에 이겨낼 수 있었고, 토론토에서도 동료들이 친구처럼, 가족처럼 대해 주어서 원래의 나로 돌아갈 수 있었다.

세상에 내 편 하나 없고 나 혼자만 덩그러니 놓여있다고 생각할 때가 가끔 있다. 머나먼 외국에서 그런 감정을 느끼는 건 어쩌면 당연할지도 모르겠다. 하지만 익숙한 환경과 사람들 속에서조차 그런 감정을 느낀다면, 그건 외국에서 느끼는 것보다 더 끔찍하고 무섭게 다가올 것이다. 나를 둘러싸고 있는 모든 사람은 행복해 보이는데 나는 그렇지 않고, 주변의 모든 것은 변함없이 그대로인데 나만 바뀐 것 같다고 생각할지 모른다.

감히 한마디 하자면, 그 순간을 혼자 이겨내겠다며 끙끙대지만은 않길 바란다. 물론 다른 사람들과 고민을 나누고 함께 시간을 보낸다고 해서 그 힘듦의 순간이 눈 녹듯이 사라지는 것은 절대 아니다. 오히려 그들의 밝음에 내 어둠이 더 돋보일 수도 있다. 하지만, 그럼에도 불구하고 사람은 사람과 함께 할 때 더 빛이 나지 않을까. 나에게 마음을 터놓을 존재가 있고 그 존재가 나에게 힘을 주고자 한다면 그건 더할 나위 없다. 그런 존재조차 없다는 생각이 든다면, 잠시 숨을 고르고 내 주변을 찬찬히 둘러봤으면 좋겠다. 전혀 그렇지 않을 것 같은 사람이 큰 힘이 되어 줄 수 있다. 생각보다 나에게 관심을 많이 가지고 있었을 수 있고, 흔쾌히 도움을 주고자 할 수 있다. 그들에게도 나와 함께할 기회를 준다고 생각하고 마음의 문을 조금만 열어둔다면, 그 공간을 비집고 그들은 내 마음속에 성큼 들어와 내가 믿고, 마음을 공유할 수 있는 존재가 되어 줄 것이다.

우리는 우리 자신을 잘 아는 것 같지만 때로는 남이 보는 나의 모습이 더 정확할 때가 있다. 그리고 나를 잘 아는 그 타인이 나에게 손을 내민다면, 게다가 그 손이 믿을 만하다면 가끔 묻고 따지지 말고 덥석 잡아보는 건 어떨까. 그러면 나도 몰랐던 나의 존재를 알게 될 수 있다.

내가 생각하던 나는 흐물흐물해 젓가락으로 잡을라치면 계속 부서지는 도토리묵일 수 있지만, 그들이 보는 나는 뜨거운 설렁탕 국물 위에서도 그 차가움과 단단함을 잃지 않는 깍두기 같은 모습일 수도 있으니 말이다.

나는 내가 아는 나보다 강하다.

두 번의 생일, 두 번의 크리스마스

일 년 열두 달 중에 12월을 가장 좋아한다. 이유는 단순하다. 생일이 12월에 있고, 크리스마스도 12월에 있기 때문이다. 누구는 생일이다, 크리스마스다 신경 쓰지 않고 그저 평범한 여느 날처럼 보낸다고 하지만, 나에게 생일과 크리스마스는 '아직까지는' 특별한 날이다. 특별한 '어떤 것'이 세상에 단 하나밖에 존재하지 않는다면 그것의 특별함은 더 특별해질 것이다. 일년에 단 한 번뿐인 생일, 그리고 역시 단 한 번뿐인 크리스마스가 그렇다.

캐나다에서 혼자 맞이하는 생일과 크리스마스는 외로우리라 생각하기 쉽다. 물론 그렇지 않다는 것은 아니다. 하지만 생각을 조금만 달리하면 25년여간 일 년에 단 하루만 누릴 수 있었던 생일과 크리스마스가 두 번이 되는 기적을 맛볼 수 있다. 이유는 다름 아닌 '시차'. 한국은 토론토 기준으로 캐나다보다 14시간 빠르다. 즉, 내 생일이 한국에서 14시간 먼저 시작된다는 말이다. 한국 시간에 맞춰 각종 SNS에는 생일을 축하하는 메시지가 잇따른다. 혹시 아무도 몰라주면 어떡하나 걱정하던 나는 약간의 안도를 한 뒤, 하나하나 읽어가며 고마움을 담아 답을 했다. 그렇게 하나씩 답장을 하다 보면 한국에서 가족들, 친구들과 함께 보내던 생일 만큼은 아니지만, 그에 버금가는 축하를 받았다는 생각에 어깨가 으쓱 해 진다.

함께 일하는 동료들에게 "오늘은 내 한국 생

일이야!"라고 말했다. 생일이 두 번이나 된다고 유치한 자랑 아닌 자랑을 하며 '한국 생일'의 하루를 즐겁게 보내고 난 다음 날. 또 한 번 생일을 알리는 해가 밝았다. 이제는 캐나다에 있는 친구들의 축하가 잇따른다. 빅토리아에서 친하게 지냈던 친구에게 문자가 오고, 직장에서는 "Happy birthday!"가 계속된다. 일을 시작하기 전에 마시려고 주문한 음료 컵엔 수퍼바이저 N이 직접 컵에 생일 인사를 적어주고, 스케줄표에는 또 다른 수퍼바이저 P가 생일 축하한다며 글을 적어놨다. 오지랖도 넓고 항상 장난치기를 좋아하는 G는 주문하는 손님에게 마저 오늘이 내 생일이라며 나를 민망하게 만들어 버리기까지 한다.

그렇게 정신없이 근무를 끝마치고, 친한 동료들과 코리아타운으로 가서 갈비찜, 해물파전, 비빔밥, 그리고 가장 중요한 '비싼'[8] 소주 를 시켜 신나게 올해의 두 번째 생일을 보냈다. 자칫 심심하게 끝나버릴 수도 있었던 외국에서 맞이

[8] 캐나다 식당에서 소주 한 병은 15~18CAD씩이나 한다!

한 내 생의 첫 생일은 신명 나게 끝이 났다.

약 2주 뒤 또 하나의 빅 이벤트, 크리스마스. 종교를 떠나 전 세계가 들썩이는 날 크리스마스. 역시나 두 번의 크리스마스를 보냈다. 그 덕에 거의 1주일 내내 크리스마스 인사를 나누고 분위기에 취해있었다. 캐나다에서 느낀 크리스마스는 한국과는 사뭇 달랐는데, 이곳에서의 크리스마스는 우리나라의 설, 추석과 비슷한 느낌이었다. 연말이면 송년회다, 신년회다 해서 식당, 술집 할 것 없이 북적이고 술에 취한 사람들이 길을 가득 메우는 우리나라와는 달리 이곳은 적막하기 그지없었다. 대부분의 사람들은 가족이 있는 고향으로 돌아가거나, 시간적, 경제적 여유가 있는 경우 가까운 유럽으로 가족 전체가 길게 휴가를 가는 경우가 많다. 내가 일하는 곳도 다름 없었다. 몇몇 동료들은 이미 한달 여 전 크리스마스와 연말, 연시를 낀 긴 휴가를 신청해 놓았고, 연휴가 시작되자 마자 포르투갈, 멕시코, 미국 등 가까운 곳으로 여행을 떠났다.

나도 그러고 싶은 마음은 굴뚝보다 컸다. 하지만 가까운 유럽으로 여행을 가자니 지갑은 너무나 얇았고, 크리스마스를 맞아 한국까지 가기엔 돈도 돈이지만 너무나도 멀었다. 그래서 일을 했다. 약간의 합리화를 하자면 크리스마스 당일은 두 배가 넘는 시급을 받을 수 있다는 말에 자발적으로 일하겠다고 한 것도 있다. 괜히 휴무 신청을 해 봤자, 집에서 혼자 '나 홀로 집에'나 '나 혼자 산다'를 볼 게 뻔했고, 그럴 바에 밖에 나가 돈도 벌고 사람 구경 하는 게 낫다고 생각했다.

처음 몇 시간은 낭만적이었다. 많은 손님들이 음료를 가져가며 "Merry Christmas, Happy Holidays"라고 인사를 건넸고, 나는 평소보다 더 밝고 따뜻한 미소로 인사했다. 하지만 시간이 지나면 지날수록 매장은 북적이기 시작했다. 다른 개인 카페나 음식점들이 연휴를 맞아 문을 닫으니 주변에서 거의 유일하게 영업하는 스타벅스로 사람들이 몰리는 것이다. 엄청난 손님수와 비교해 그들을 응대할 직원은 평소보다 훨씬 적었고, 우리들은 일 당 백의 역할을 해야만 했다. 웃음기 가득했던 얼굴은 일그러지기 시작했고, 미처 치우지 못한 컵과 접시들은 쌓여만 갔다. 폭풍과도 같았던 시간이 지나고 매장 문은 닫았지만 진짜 일은 그때부터 시작이었다. 평소 같았으면 중간 중간에 치워 싱크대에 그릇이 몇 개 없어야 할 시간임에도 불구하고 그릇은 산더미처럼 쌓여 얼른 씻어주길 기다리고 있었다.

그렇게 한 시간. 예정됐던 스케줄을 훨씬 넘겨 크리스마스 전투는 끝이 났다. 한시라도 빨리 집에 돌아가 씻고, 자고 싶기도 했지만 그래도 크리스마스인데 일만하고 들어가기는 억울해서 함께 일했던 S와 함께 근처 한국 식당으로 갔다. S는 인도 출신으로 한국인 여자친구가 있었고, 나중엔 한국에서 지낼 계획을 할 정도로 한국 사랑이 깊은 친구다. 나도 모르는 K-POP 가수와 드라마를 알 정도로 한국 사랑이 엄청난

S 덕분에 우리들의 이야기는 물 흐르듯 이어졌고, 자칫 칙칙할 수 있었던 두 남자의 크리스마스 저녁은 즐겁게 끝이 났다.

두 번의 생일, 두 번의 크리스마스. 시차가 주는 작은 선물은 외로운 타국생활에 생각보다 큰 힘이 되어 주었다. 내 생에 이렇게 특별한 날들을 또 맞이 할 수 있을까?

서른 즈음에
나의 길을 걸어가는 나란 놈

대한민국에 살면서 '서른'이라는 나이가 주는 중압감은 실로 상당하다. "서른 전에 하고 싶은 거 다 해봐!", "아직 20대잖아, 맘껏 실패해도 괜찮은 나이야." 사실 글을 쓰고 있는 지금, 이 순간까지도 누가, 어떤 이유로 '서른'을 실패해도 되는 나이와 실패하면 안 되는 나이로 구분 짓는 기준으로 삼았는지는 잘 모르겠다. 이유야 어찌 되었든 계란 한 판이 주는 부담을 이기지 못하고 주변의 많은 친구들이 원하지 않던 직장에 들어가 원하지 않는 오늘을 버티는 모습을 많이 보았다.

'존버는 승리한다.'라는 말이 있다. 속된 말로 존X 버티면 승리한다는 뜻인데, 나는 그 말에 필요조건이 있다고 생각한다. 무언가를 위해 버티는 시간이 내가 궁극적으로 원하는 것을 성취하기 위한 시간이라면 사람들의 말처럼 언젠가는 승리할 수 있을 것이다. 하지만 내가 무엇을 위해 '오늘'을 버려가며 버티는지 알 수 없을 때의 그 시간은 정말 '버티기만 하는 시간'이 되고 만다. (그 시간을 무의미한 시간이라고 하고 싶지는 않다. 무엇이 되었든 피가 되고 살이 될 것은 분명하니까) 지금 걷고 있는 이 길이 힘들고 고된 길인 것은 분명하지만 성취하고자 하는 목표를 이루기 위한 과정이라는 확신을 갖고 그 길을 걷는다면, 그럼에도 불구하고 진정 버틸 수 있을 것이다.

대한민국 남자로 태어나 군대에서 2년을 보내

고 휴학을 2번이나 또 한다는 건 쉽지만은 않은 선택이었다. 학업을 중단한 4년이라는 시간 동안 동기들은 토익, 토플은 물론이고 해외 봉사에 인턴쉽까지 사회에서 인정받는 스펙을 쌓아갔다. 사람들의 기준과 눈높이에서 바라본 나는 뒤처진 것이 분명하다. 하지만 나는 나를 안다. 전공에 대한 확신이 서지 않은 채 전역 후 바로 복학해서 남들 하듯 취업전선에 뛰어드는 모습은 내가 원하는 모습이 아니다. 비록 이력서에 한 줄 적을 스펙은 얻지 못하겠지만 그 시간 동안 내가 무엇을 좋아하고, 무엇을 싫어하는지 분명하게 알고 싶었다. 그리고 그 기간의 끝을 바라보는 지금, 확실친 않지만, 어렴풋이 답이 보이는 듯하다.

그중 하나는, 발 디디고 있는 '공간'에 많은 영향을 받는다는 것이다. 작게는 집부터 크게는 사는 도시, 나라까지. 내가 어디에 살고 있고 어떤 환경에 처해있는지는 나에게 있어 정말 중요한 부분이다. '집'이라는 공간을 생각해보자. 집은 집다워야 한다. 밖에서 힘들고 지친 몸을 이끌고 들어와 쉴 수 있는, 세상 어느 공간보다 개인적이고 포근한 곳이 집이어야 한다. 그렇기에 집은 따뜻해야 하고, 아늑해야 한다. 비록 매달 내 집이라고 부를 수 있는 공간의 수명을 연장해가며 살고 있는 처지에 있다 하더라도 그 공간은 나에게 맞게 꾸며지길 원한다. 경제적 상황만 허락된다면 따뜻한 온기를 나눌 수 있는 반려동물이 함께했으면 좋겠다. 영화 〈리틀 포레스트〉에서 류준열 배우가 "모든 온기가 있는 것들은 위안이 된다."라고 말했던 것처럼 말이다. 나 하나 먹여 살리기도 바쁜 오늘이라 지금은 엄두도 못 내지만, 그때가 언제가 되었든 내가 다른 누군가를 돌볼 수 있는 상황만 주어진다면 내 옆엔 함께 마음을 나눌 수 있는 생명이 있을 것이다.

조금 더 큰 공간, 도시를 한번 보자. 나는 바다가 있는 도시에 살고 싶다. 누가 "산이 좋아, 바다가 좋아?"라고 묻는다면 난 0.001초의 망설임도 없이 "바다"라고 답할 것이다. 바다가 왜 좋은지는 정확히 설명하기 어렵지만, 끊임없이 움직이는 파도의 모습, 살짝 비릿한 바다 내음, 백사장을 푹푹 밟으며 걸을 때 나는 소리, 모든 것이 내 감각을 자극한다. 감각은 예민해 지지만 마음은 편안해지는 바다라는 공간이 주는 힘과 위로는 말로 설명이 불가능하다.

너무 크고 바쁜 도시는 나에게 조금 벅차다. 고등학생 때까지만 하더라도 무조건 서울로 올라가고 싶었다. 뉴스 중간 갑자기 시그널 음악이 나오며 지방 소식을 전하는 지방 뉴스를 보는 게 아니라, 뉴스 끝까지 서울 뉴스를 보고 싶어했던 내가 시간이 지나니 바뀐 것이다. 지금 당장은 아닐지라도 나중엔 바다가 보이는 조용한 시골 마을에서 지내고 싶다.

그리고 찾은 답 중 다른 하나. 큰 톱니바퀴 속 하나의 작은 톱니가 되어 날마다 똑같은 방향으로 돌아야 하는 삶을 살고 싶지는 않다. 누가 그런 삶을 살고 싶어 하겠냐만, 그런 삶을 많이 지양한다. 큰 목표를 가지고 있는 공동체에 속해 공동의 목표 달성만을 위해 하루하루를 살아야 하는 직장이라면 아무리 많은 보수를 받는다고 하더라도 들어가고 싶지 않다. 비록 적은 보수를 받는 한이 있더라도 내가 직접 나의 그림을 그릴 수 있는 직장이길 바라고, 혹 그런 직장이 나를 원하지 않는다면 더 작고 미미할지라도 나만의 공간에서 내가 꿈꾸는 그림을 그리고 싶다.

드라마 〈미생〉을 1화부터 마지막 화까지 한 회도 빠뜨리지 않고 두 번을 봤다. 매회 볼 때마다 핸드폰 메모장에 배우들이 전하는 작가의 말을 적어가며 책을 읽듯 드라마를 봤다. 〈미생〉을 볼 때면 나도 깔끔한 정장을 입고 남들이 출근하는 시간에 출근하고, 다 같이 퇴근해서 동료들과 맥주 한잔하는 삶을 상상하곤 한다. 정말 짜릿하다. 아직 그 세계에 풍덩 빠지지도 않은 '머리에 피도 마르지 않은' 사회 초년생의 상상이지만, 한때는 그런 삶을 꿈꿨다.

하지만 아무리 생각해도 나의 성격과는 맞지 않는다. 4년의 세월 동안 내가 지켜봐 온 나라는 존재는 평범하지만 독특하고, 무던한 듯하지만 예민하다. 때로는 작은 것 하나까지도 계획하고 미리 생각해 놔야 직성이 풀린다. 하지만 때로는 일하다 말고 당장 다음 날 비행기 표를 끊고 제주도로 가버리기도 하는 즉흥적인 성격이기도 하다. 세계여행을 할 거라며 주변 사람들에게 호언하고 다니는 이상주의자처럼 살다가도, 오늘 얼마를 썼는지, 이달 나갈 돈은 얼마인지, 지금 내가 당장 해야 할 일은 무엇인지 체크리스트를 만들며 하나하나 체크해 가는 지독한 현실주의자 이기도 하다. 한마디로 뭐라 답내리기에 너무나도 복잡한 존재가 나다.

나라는 사람이 가진 성격을 정확히 설명할 수가 없다. 자기애도 강해서 남에게 숙이고 들어가는 일은 참 어렵다. (세상 모든 일은 이게 기본인데 말이다) 이런 내가 어떻게 보수적인 한국 사회에서 직장에 들어가 행복할 수 있을까.

당장 내일 일도 모르는 게 사람 인생이라지만, 아직 나의 내일엔 정장을 입고 출근하는 모습은 없다. 왁스로 정돈된 머리보다는 부스스한 파마머리를 하고 싶고, 다림질로 빤빤한 정장 바지보다는 살짝 얼룩 묻은 낡은 청바지를 입고 싶다.

이 모든 게 지난 4년간 공부한 나의 존재다. 다른 친구들이 열심히 취업을 위해 노력하고 피땀을 흘렸을 때 나는 나라는 존재를 알기 위해 그 시간을 살았다. 참 한심하다 할 수 있겠지만, 이 시간이 없었다면 당장 내일의 미래도 꿈꾸지 못하는 사람이 되었을 것이다. 지금은 내일을 꿈꿀 수 있다. 무엇을 원하고 무엇을 원하지 않는지 알기에 내 길을 내가 설계할 수 있다. 한국을 떠나 지구 반대편에서 지내며 봐왔던 캐나다 친구들의 모습들, 그들과 이야기하며 느낀 그들의 자유로운 가치관은 내 생각을 말랑말랑하게 만들었고, 꼭 반듯한 큰길로 가지 않아도 내 길을 갈 수 있다는 것을 알게 했다.

서른 즈음에. 한국이라는 익숙한 환경에서 벗어난 지금의 나는 조금 서툴고, 남들에 비해 느리지만 그렇게 어른이 되어가고 있다.

PS. 혹시 저와 비슷한 나이에 비슷한 생각을 하는 분들이 지금 이 책을 읽고 계신다면, 잠깐 책을 덮고 김광석의 '서른 즈음에', god의 '길', 적재의 '나란 놈'을 들어보시길 추천해 드려요. 눈물이 주르륵주르륵 흐르는 내 모습을 발견할지 몰라요.

시간이 해결해 줄 거야

뭐든 익숙해 질만 하면 끝이 다가오는 법이다. 하루하루가 전쟁터 같던 일터도 어느덧 익숙해지고, 같이 일하는 동료들과도 마음을 터놓는 사이가 되어갈 때쯤 캐나다에서의 마지막을 준비할 때를 맞았다. 지난해 2월이 끝나갈 무렵, 추운 겨울 기운이 채 가시지 않은 빅토리아에서 시작한 캐나다살이가 새로운 2월을 맞이하며 토론토에서 끝이 나고 있었다. 어느 것 하나 예상하고 계획한 그대로 이루어진 건 없었지만, 오히려 그 계획대로 착착 되지 않아 더 재미있었던 1년.

우리는 남을 위로할 때 "시간이 해결해 줄 거야."라는 말을 가끔 하곤 한다. 그 말을 들을 때마다 '이렇게 무책임한 말이 또 있을까?'라는 생각을 지울 수가 없었다. 그 생각은 지금도 변함이 없다. 하지만 확실한 건 그 말이 틀린 말은 아니라는 것이다. 시간이 해결해 주긴 한다. 오늘 아무리 힘든 일이 있었고, 억울한 일이 있었다 하더라도 눈 딱 감고 침대에서 자고 일어나면 기적과도 같은 새로운 내일이 다가와 있다. 그럼 우리는 또다시 새로운 내일을 오늘로 받아들이고 산다. 그렇게 자의든 타의든 시간은 어제를 덮어준다.

빅토리아 햄버거 레스토랑에서 일할 때였다. 여느 때와 다름없이 패티를 굽고 감자를 튀기고 있었는데, 갑자기 그릴에서 굵은 기름 한 방울이 내 엄지손가락 쪽 손등에 튀었다. 평소에도 자주 있던 일이라 대수롭지 않게 여겼지만, 이번 기름은 다른 때보다 더 크고, 더 뜨거웠다. 아니나 다를까. 손등에는 물집이 생겼고 며칠 동안 화상 크림을 발라도 쉽게 낫지 않았다. 매일 손에 물을 묻혀야 하는 일터에서 일하는 나에게 그 물집은 어느 상처보다 아팠고, 쓰렸다.

토론토 카페에서 일할 때였다. 큰 도시 한가운데 섬처럼 둥둥 떠 있는 프랜차이즈 카페에서 외국인 노동자로 일하는 건 그리 쉽지만은 않았다. 하루하루가 긴장의 연속이었고 차가운 도시 사람들의 말과 눈길에 쉽게 상처받았다. 이날도 그런 날이었다. 평소와 다름없이 한껏 긴장한 날. 무슨 일이든 지나치게 긴장하면 무리 없이 잘하던 일도 잘 풀리지 않는다. 나이 지긋한 백인 남자가 주문하는데 전혀 알아듣지를 못했다. 잘 못 들었다고 되묻는 것도 한두 번이지, 몇 번을 되물으니 손님의 얼굴은 화로 가득했다. 보다 못한 수퍼바이저가 대신 주문을 받고 나더러 잠시 쉬고 오라 했다. 자신감은 바닥을 쳤고 어디든 숨고 싶었다. 하지만 쉬는 시간 15분이 지나고, 다시 그 자리에 서서 그들의 말을 알아듣기 위해 또 긴장해야만 했다.

빅토리아에서도, 토론토에서도 그 두 날은 참 힘들었다. 뜨거운 기름이 손등에 튀었던 그 순간도 힘들었고, 당연히 이해했어야 할 손님의 말을 이해하지 못했던 그 순간도 힘들었다. 한국이었다면 병원에 들러 간단히 진료받고 약사서 바르면 금방 나을 상처를 치료하지 못해 며칠을 끙끙댔다. 한국이었다면 손님의 말을 알아듣지 못해 머리가 하얘지는 순간은 없었을 것이다. 하지만 지금 그때를 다시 돌아보니 그저 하나의 에피소드일 뿐이다. 모든 것을 끝내고 한국에 돌아가 친구들과 맥주 한잔하며 풀어놓을 여러 에피소드 중 하나. 좋든 싫든 시간이 해결해 준 것이다. 내가 그토록 싫어하는 '시간이 해결해 준다.'는 말이 틀린 말은 아니라는 걸 몸소 경험했다. 앞으로도 시간이 해결해 줄 수십 수백 개의 에피소드들이 켜켜이 쌓인 캐나다에서의 1년이 그렇게 끝나가고 있었다. 어떤 순간은 인생에 다시 있을까 싶을 정도로 행복했던 순간으로 기억될 것이고, 또 어떤 순간은 다시는 입 밖으로 꺼내기 싫을 만큼 부끄러운 순간으로 기억될 것이다. 슬픈 순간, 화난 순간, 외로운 순간, 수많은 순간들이 모인 나의 1년이 끝나가고 있고, 나는 이곳에서의 익숙함을 내려놓을 때가 되었다. 내가 살던 집, 일하던 직장, 자주 가던 식당, 카페, 자주 타던 버스, 지하철. 모든 익숙함이 마지막으로 다가오는 이 순간, '내가 잘 살아왔나?'라는 불안 섞인 질문이 머리를 가득 메울 때 다시 한번 무책임 하지만 절대 깨지지 않는 법칙과도 같은 말을 되뇌어 본다.

"시간이 해결해 줄 거야.", "지금 느끼는 이 불안함도, 외로움도, 슬픔도 모두 시간이 해결해 줄 거야."라고. 좋은 첫인상보다 어려운 좋은 마지막 인상을 만들기 위해 노력해야겠다. 동료들이나 룸메이트들에게도 그렇고 나 스스로에게도, 이곳에서의 마지막이 아름답길 바란다.

쉽진 않았지만 여러 친구의 도움으로 그리 어렵지 않게 살아냈고, 마냥 즐겁지만도 않았지만, 앞으로의 인생에 이렇게 행복한 순간을 또 언제 만날 수 있을까 라는 생각을 가장 많이 했던 1년의 마지막을 그렇게 준비하고 있다.

참 어려운 마지막, 결국 오는 마지막

집 주인아주머니께도 말했고, 매니저님께도 말했다. 1월 31일부로 나의 캐나다 생활은 끝이 난다고 말이다. 멀게만 느껴졌던 1월의 마지막 날이 다가왔다. 내 머릿속 마지막 출근 날은 끝까지 최선을 다해 커피를 만들고, 퇴근 후 동료들과 가볍게 맥주 한잔하며 "그동안 고생했어!"라는 말을 주고받는 그런 날이었다. 하지만 그렇지 못했다. 1년 가까이 놓지 않고 꼭 붙잡고 있던 긴장의 끈은 마지막이 다가오니 내 손에서 소리소문없이 풀려나갔다. 마지막 출근 전날부터 몸 상태가 심상치 않더니 급기야 심한 몸살을 앓았고 그간 단 한 번도 해보지 않았던 조퇴와 결근을 이틀 연달아서 하고 말았다.

아무리 인생은 계획대로 되는 것이 아니라고 하지만 이건 너무했다. 내 계획은 보란 듯이 빗나갔다. 단골손님들과의 마지막 인사도, 퇴근 후 동료들과 한잔하며 서로에게 건네는 작별 인사도, 그 무엇도 하지 못한 채 꼼짝없이 집에서 지냈다. 비싼 배달비 때문에 다운받아 놓고 써보지도 않았던 배달 앱으로 매 끼니 시켜 먹을 정도로(아플 땐 더 잘 먹어야 한다) 몸은 이곳저곳 아프지 않은 곳이 없었다. 아픈 것도 서럽지만 힘들게 구한 직장에서의 마지막을 제대로 끝내지 못해 느낀 서러움이 더 컸다. 내가 아프다는 소식을 들은 친한 동료들은 퇴근하고 집으로 찾아오겠다며 문자에 전화에 난리였지만, 그들을 맞이할 힘조차 나에겐 없었다. 배달음식을 받으려고 문 앞에 나가는 것조차 힘든데 그들의 위로를 들을 힘은 더더욱 내기 힘들었다.

서러운 마음에 엄마에게 전화했다. “아들 마지막 출근도 못 하고 침대에 누워있어. 음식도 배달음식 먹고. 그 와중에 너무 비싸네! 진짜.” 며칠 동안 끙끙 앓으며 쌓아뒀던 속마음을 쉴 새 없이 쏟아댔다. 내 말을 가만히 듣던 엄마는 “네가 그동안 잘하려고, 열심히 하려고 긴장했던 게 마지막이라고 하니까 풀렸나 보다. 1년 만에 갖는 휴식 시간이라고 생각하고 푹 쉬어. 이미 벌어진 일인데 어쩌겠어. 출근 못 한 건 아쉽지만 그건 그만 생각하고 일단 푹 쉬자. 고생 많았어.”라는 말로 나를 위로했다. 아무리 좋은 약과 맛있는 음식으로도 받을 수 없었던 위로와 위안을 전화기 너머로 들려온 엄마의 그 말 한마디가 나에게 건네줬다.

나는 다른, 철든, 멋진, 어른, 아들들처럼 타지에서 아플 때 엄마에게 전화하지 않거나, 전화하더라도 아픈 곳 하나 없이 건강하다고 거짓

말하지 못한다. 아직 철도 들지 않았고(들고 싶지 않다) 투정도 부리고 싶어서 아플 때면 엄마에게 전화해 아프다고 한다. 그럴 때마다 엄마는 항상 비슷한 말을 한다. 아픈 건 걱정되고 안타깝지만 이번 기회에 잠시 쉬어간다고 생각하자고 말이다. 그만큼 지금까지 열심히 앞만 보고 달려와서 지친 몸이 주는 신호라고, 잠시 숨을 고르고 주위도 둘러보라고.

항상 그래왔듯 그 말을 약 삼아서 이겨냈다. 그리고 토론토에서, 캐나다에서의 마지막도 그랬다. 엄마의 위로와 걱정은 오들오들 떨리던 나의 몸을 따뜻하게 해줬고, 물조차 삼키기 힘들었던 목을 조금씩 낫게 했다. 그리고 생각했다. 비록 마지막 출근, 마지막 인사는 하지 못했지만 스스로 잘 마무리 하자고 말이다.

그렇게 끝이 났다. 수십 장의 이력서와 함께 혹시나 뽑아 줄까 가게 앞을 서성거리고, 횡단보도 건너는 법도 몰라서 몇 분이고 가만히 서

있던 시간을 보내고 두 번의 이사와 두 곳의 직장, 두 개의 도시를 거쳐 머나먼 타국에서의 대장정을 끝냈다. 하루하루가 성공이었다고 말할 수는 없다. 하지만 매일 최선을 다해 살았다. 그들의 말을 조금이라도 더 알아들으려 귀는 항상 열려있었고, 부족한 부분을 메우기 위해 발은 빨랐으며, 손은 분주했다.

다른 사람의 평가는 어떨지 몰라도 나는 나에게 후한 점수를 주고 싶다. 크게 아픈 곳 없이 계획했던 1년을 무사히 마친 나에게 말이다. 조금이라도 더 많은 곳을 여행하고 싶어 쥐꼬리만 한 월급을 모으고 모아 이곳 저곳을 다녔던 나에게. 정말 너무 돈이 없어 한국에 있는 친구에게 돈을 빌릴지언정 부모님께는 손 벌리지 않은 나에게. 외국에 나와서도 '아닌 건 아닌 거지.'라는 철칙을 깨지 않고, 예의 없이 대하는 룸메이트에게 되지도 않는 영어로 맞서 싸웠던 나에게. 그런 나에게 잘했다고 맘껏 말해주고 싶다.

그동안 고생 많았다고.
이 순간순간들이 모여 거름이 될 거라고.
앞으로 어떤 일이 벌어질지 기대된다고 말이다.

수고 많았어.

이제
집에 가자.

AZON ORIGINAL
RNIVAL
ROW
NEW SERIES
AUGUST 30
prime video
SAM
SAM
ACK ASTOR'S
Bar and Grill
NNERS
SEPHORA
SEPHORA
SEPHOR

Citytv
Home is where
the heart is
BOND
PLACE
HOTEL
SEPHORA
BOOK YOUR NEXT EVENT
AT YONGE-DUNDAS SQUARE
CityNews

NO
ONE WAY BEGINS

40

ZARA
Queen St
ROGERS
Queen St

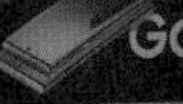

Tim Hortons
X
SHAWN MENDES
CF Toronto Eaton Centre
Galaxy Note10 | 10+

SAM
SAM
wine rack
CHARLIZETHERON
NICOLEKIDMAN

30

CHEZ
DAGOBERT

그리고
옐로나이프

환상의 나라
첫째 날

전날 밤까지 일하고 꼭두새벽에 일어나 공항으로 향했다. 몸은 천근만근이었지만 꿈에 그리던 오로라를 볼 수 있다는 생각에 마음은 깃털보다 가벼웠다. 하지만 마음 한편엔 해결되지 않은 걱정이 웅크리고 있었다. '캐나다에 온 지 얼마 되지 않아 떠나는 여행인데, 그것도 오로라를 보기 위한 여행인데 혹시 보지 못하고 돌아오게 되면 어떡하지?'라는 생각이 출발하는 순간까지도 가득했다. 힘들게 휴무 신청을 하고 큰돈을 들여가는 여행인 만큼 기대도 크고 걱정도 컸던 것이다. 하지만 걱정도 잠시, 경유지인 캘거리로 향하는 비행기에 오른 나는 창밖에 펼쳐진 대자연의 모습에 연신 셔터를 눌러댔다. 태어나서 처음 보는 창밖 풍경에 이미 마음은 매료되었고, 언제 걱정했냐는 듯 감탄을 연발하는 사이 어느새 캘거리에 도착했다. 그리고 다시 작은 경비행기에 몸을 싣고 최종 목적지, NASA에서 인정한 세계 최고의 오로라 관측지 '옐로나이프'에 도착했다.

옐로나이프는 북위 60도에 위치한 작은 도시로, 공항의 모습은 북극 기지(?)를 연상시킨다. 도착하자마자 예약해둔 오로라 투어업체 사장님께서 공항까지 픽업을 와주셨고, 먼저 숙소로 가 짐을 풀기로 했다. 에어비앤비로 예약했기 때문에 숙소 호스트는 옐로나이프에서 나고 자란 옐로나이프 토박이였다. 그런 호스트에게 흔하디흔한 스타벅스조차 없는 이 작은 도시에서 어디에 가고, 무엇을 먹어야 하는지 소개받았다. 옐로나이프는 노스웨스트 준주(Northwest Territories)의 주도인데, 우리나라의 조그만 시골 마을처럼 아주 조용하고 평화로운 곳이다. 그런 환경이 오로라를 보는 데 더 집중할 수 있도록 해준다고 하니, 오로라만 볼 수 있다면 무엇이 문제일까!

친절한 호스트에게 옐로나이프에 관한 간단한 설명을 들은 뒤 향한 곳은 '북위 60도 방문 인증서'를 받을 수 있다는 방문자센터였다. 센터 내부에 들어서자마자 옐로나이프의 상징인 북극곰이 우뚝 서 있었고, 이미 인증서를 받기 위해 기다리고 있는 사람들도 많았다. 나도 순서에 맞춰 인증서를 받고 떨리는 손으로 이름을 한 자 한 자 적었다. '내가 북위 60도에도 와 보는구나.'라는 생각을 지우지 못한 채 스스로 감격에 젖어 쓸 수 있는 한 최선을 다해 또박또박 이름을 적었다. 그제야 정말 내가 북극 근처로 왔다는 게 실감이 났다. 인증서를 받은 뒤 다른 곳들도 둘러보고 싶었지만, 체력의 한계로 다시 숙소로 향했고, 어젯밤 못다 잔 잠을 청했다.

잠자리에 들면서 까지 얼른 해가 지기만을 기다린 나에게 응답이라도 하듯 눈을 떠보니 어느덧 해는 그 모습을 감췄고, 조용했던 옐로나이프는 어둠을 덮어 적막하기까지 했다. 간단히 저녁 식사를 하고 난 뒤 오전에 나를 숙소까지 데려다준 픽업 차량을 다시 기다렸다. 그러길 몇 분, 약속했던 시간에 딱 맞춰 먼지를 날리며 도착한 차량에 몸을 싣고 드디어 길을 떠났다.

첫날 밤엔 '오로라 뷰잉(Viewing)'을 하기 위해 '오로라 빌리지'라는 곳으로 가야 했다. 오로라 빌리지는 옐로나이프 최대의 오로라 관광업체로 '티피'라고 하는 선주민 전통 가옥 안에서 따뜻한 차와 커피를 마시며 오로라가 떴을 때 밖으로 나와 볼 수 있도록 만든 곳이다. 차를 타고 깊은 산속으로 가는 길에 창문 밖을 유심히 봤는데 내 눈이 잘못된 건지 하늘이 초록색으로 물든 것처럼 보이기 시작했다. 눈을 비비고 다시 봐도 분명히 옅은 초록색이 계속해서 보였고 그 모습을 본 가이드님께서 "창밖에 벌써 오로라가 조금씩 보이네요. 오늘 운이 좋으십니다!"라고 하자, 차 안은 금세 술렁거리기 시작했다. 물론 그 순간 내 마음은 미친 듯이 요동쳤다. 하지만 창밖으로 보이던 초록빛은 짧은 순간을 허락한 채 다시 모습을 보이지 않았다. 나는 그 빛을 다시 보지 못할 수도 있겠다는 불안함과 또 볼 수도 있지 않을까 하는 기대감을 동시에 부여잡고 목적지에 도착하는 순간까지 숨죽이고 있었다.

길지 않은 시간을 차로 이동해 도착한 오로라 빌리지. 가이드님께 간단히 시설에 관한 설명을 듣고 일행들과 함께 넓은 눈밭에 세워진 작은 오두막, 티피로 향했다. 들은 것처럼 티피 안은 밖과 달리 포근했다. 보기보다 넓은 공간에 타닥타닥 난로 속 나무 타는 소리가 들리고 따뜻한 핫초코와 커피가 가득했다. 모든 것이 꽁꽁 얼어있는 듯한 밖과는 천지 차이였다. 안 그런 척 하지만 두툼한 옷 속에서 오들오들 떨고 있던 내 몸을 녹이기엔 그만한 것이 없었다. 노곤한 몸으로 난로 앞에서 핫초코를 마시며 시간을 보내고 있었는데 갑자기 밖에서 "우오오오!" 하는 비명과 같은 환호성이 들렸다. 그리고 직감적으로 느꼈다.

'오로라'

느낌과 동시에 홀짝대며 마시던 핫초코는 내팽개치고 밖으로 뛰쳐나갔다. 지금, 이 순간이 아니면 다시는 못 볼 수도 있다는 불안감에 급히 하늘을 봤는데...

어두운 밤하늘을 무대로 오로라가 춤을 추고 있었다. 초록색뿐만 아니라 분홍색, 빨간색, 파란색, 그리고 인간이 만들어낸 색의 이름들로는 설명할 수 없는 그 색까지. 머리 위로 하늘이 움직이는 듯했다. 태어나서 처음 보는 광경에 혼이 빠져 있을 때쯤 그 모습을 본 가이드님이 첫

날부터 댄싱 오로라를 보는 건 정말 흔치 않은데 연신 운이 좋다고 이야기해 주셨다. 옐로나이프에 오기 전 몇 날 며칠 현지 날씨를 확인하고 무슨 뜻인지도 모르는 태양광 지수, 오로라 지수를 확인해 가며 제발 한 번만이라도 볼 수 있게 해 달라고 기도한 효과가 있었던 걸까. 아니면 타지에서 고생하는 나를 위해 하늘이 힘을 주는 걸까. 내 눈에만 보이는 것도 아니지만 하늘에 수 놓인 아름다운 그 모습은 나만을 위해 반짝이는 것 같았다. 꿈꿔왔고, 상상만 했던 인생의 버킷리스트 하나에 검은색 긴 줄이 그어지는 순간이었다. 리스트엔 있지만 진짜 내가 볼 수 있을까 하는 의문과 의심이 가득했던 그 목록이 다른 그 어느 것보다 빨리, 그리고 선명하게 이루어졌다. (역시 꿈은 이루어진다. 아듀 2002)

한바탕 오로라가 휩쓸고 간 하늘은 언제 그랬냐는 듯 다시 고요했다. 그리고 아무리 기다려도 다시 그 순간을 허락하지 않았다. 비록 1분도 채 안 되는 시간이었지만 그 찰나의 순간 느꼈던 찰나의 감정은 평생 잊지 못할 것이다. 오히려 짧았기에 더 강렬했던 것일까. 깊은 새벽 오로라 뷰잉을 마치고 다시 돌아온 숙소에서 나는 잠을 잘 이루지 못했다. 믿기지 않았다. 내가 오로라를 직접 두 눈으로 봤다는 게 말이다.

환상의 나라
둘째 날

어젯밤 설렘에 늦게 잠이 든 터라 점심시간이 다 돼서야 눈이 떠졌다. 출근 전 호스트가 친절하게 준비해 준 따뜻한 커피 한잔과 빅토리아에서 챙겨온 스팸 오리지널을 얹은 토스트로 첫 끼니를 해결했다. 우적우적 토스트를 먹고 있는 내 옆엔 나이 들어 방에서 다른 방으로 움직이기조차 힘든 강아지 '루퍼'가 밥 먹는 손주를 바라보는 할머니의 눈빛으로 나를 바라보고 있었다. 푸근한 눈빛의 루퍼와 함께한 짧은 식사를 마치고 시작한 둘째 날의 첫 일정은 박물관. 어느 도시를 가든 항상 그곳의 박물관은 꼭 들러야 직성이 풀리는 나로서는 빼놓을 수 없는 코스였다. 당연히 모든 설명은 영어로 되어있었기 때문에 모르는 단어는 사전 찾아가며 조금이라도 더 이해하려고 애쓰느라 힘들었다. 그렇지만 옐로나이프의 역사부터, 이곳에 먼저 터를 잡고 살았던 선주민들의 이야기, 옐로나이프 출신 화가의 작품들까지, 생각보다 알찬 구성에 시간 가는 줄 모르고 봤다.

그리고 이 다음 일정부터는 함께한 친구가 있었다. 바로 한국인 C. 어제 투어 업체에서 만난 친구로 우리 둘 다 혼자 왔기 때문에 쉽게 친해질 수 있었고, 따로 정해진 일정이 없었던 덕에 오늘부터 함께 다니기로 했다. 바닥에 큰 북극곰 가죽이 깔려 있어 유명한 주 의회 의사당부터, 다이아몬드 광산도시인 옐로나이프답게 다이아몬드의 채굴부터 세공까지 자세히 설명해놓은 다이아몬드 센터까지. 혼자였다면 자칫 재미없고 어려웠을 장소들을 함께여서 지루하지 않게 볼 수 있었다.

'캐나다 사람들은 친절하다.'라는 말을 누구나 한 번쯤은 들어봤을 것이다. 캐나다에서 하루하루 지내면서 실제로 이들이 친절하다는 느낌을 받을 때가 한두 번이 아니다. 옐로나이프도 역시 그 친절 유전자를 피해갈 수 없었다. 나와 C는 다운타운에서 올드타운으로 가기 위해 길을 걷고 있었다. 그런데 갑자기 한 아저씨가 우리에게 "너희 큰 개 본 적 있어?"라는 말과 함께 자기를 따라오라고 하는 것이 아닌가. 한 번쯤은 의심할 만도 한데, 아무런 의심 없이 생전 처음 본 외국인 아저씨의 뒤를 졸졸 따라간 우리 앞에는 늑대만 한 개 한 마리가 차 안에서 우리를 멀뚱히 쳐다보고 있었다.

어쩌면 늑대만 한 개라기보단 그냥 늑대라고 해도 믿을 수 있을 비주얼이었다. 놀란 나를 향해 주인아저씨는 물지 않는다며 쓰다듬어 보라고 나의 손을 개에 가져다 댔다. 평소 강아지를 좋아하고 언젠가 키우고 싶어 했지만 '늑대만 한 개'를 좋아하는 건 아니기에 머뭇거리던 나와는 달리 C는 망설임 없이 개를 쓰다듬었다. 사람의 손길에 익숙한 탓인지 개는 눈을 감고 부드러운 손길을 느꼈고, 나는 이때다 싶어 손을 머리 위로 가져다 댔다. 역시나 편안한 얼굴로 내 손길을 즐기던 그 친구와 사진 한 장을 찍고 특별한 경험을 하게 해준 친절한 아저씨께 감사 인사를 했다. 그리고 원래 우리의 목적지, 올드타운으로 향했다. (이때 찍은 사진을 보면 겁먹지 않은 척 애써 웃어 보이는 얼굴이 가엽기까지 하다)

어느 도시를 가든 올드타운은 그 도시의 진면목을 알 수 있게 한다. 깨끗하게 정비 된 신시가지도 나름의 매력이 있지만, 약간은 낡은 건물과 그 건물들이 모여 이루고 있는 좁은 골목들이 만들어낸 따뜻한 느낌이 나는 참 좋다. 옐로나이프 역시 다르지 않았다. 추운 날씨 탓에 문을 닫은 곳들이 많긴 했지만, 올드타운 특유의 낡음과 포근함은 다른 여타의 곳과 같았다.

이곳저곳 구경하는 것도 좋지만 여행에서 가장 중요한 건 주린 배를 채우는 일이다. 금강산도 식후경이라 했는데 오로라도 당연히 식후경이다. 평소 마음속에 항상 지니고 있는 다짐 하나가 '여행할 때는 돈 아끼지 말자. 특히 먹는 데는 더.'이다. 그래서 갔던 식당. Bullock's Bistro. 올드타운에 위치한 이곳은 버팔로 스테이크와 연어 스테이크가 유명한 아주 오래된 식당이다. 한국에서도 스테이크 먹어 본 횟수는 다섯 손가락으로 충분히 셀 수 있을 정도인 나로서는 버팔로 스테이크는 꿈에서조차 본 적 없던 종류의 음식이었다. 기대를 가득 품고 오래된 나무문을 밀고 들어선 식당의 모습은 생각보다 더 빈티지(?)했다. 온 벽면부터 천장까지 지금껏 이곳에 왔던 사람들이 적어놓은 메모와 방명록들로 가득했고, 그 좁은 공간을 사람들이 가득 채우고 있었다. 바(bar) 자리에 빈자리를 겨우 찾아 앉은 나와 C는 고민할 것도 없이 버팔로 스테이크와 연어 스테이크를 시켰다. 주문 후 주위를 둘러보니 우리 옆에서는 직원이 생감자를 직접 기계에 넣고 수동으로 레버를 내려 감자튀김으로 만들기 적당한 크기로 자르고 있었다. 처음 보는 모습에 놀라기도 잠시, 주방에서는 연세 지긋하신 할머니가 고기 위에 와인을 부어가며 스테이크 만들기에 열중이셨다.

생경한 모습에 적잖이 놀란 우리는 혹시 명성에 비해 맛이 떨어지면 어쩌나 걱정하고 있었는데, 그 걱정은 식전 빵을 먹은 뒤 쓸데없는 기우였다는 것을 바로 느꼈다. 따뜻하게 데워져 나온 빵에 무심한 듯 툭 던져진 버터를 발라 한입 넣는 순간 나도 모르게 내 입꼬리는 관자놀이를 향해 있었다. “아니, 어떻게 이 비주얼에 이런 맛이 나지?”라는 말과 함께 내 손은 다음 빵 조각을 집고 있었고 스테이크를 먹기 전부터 이미 행복해 버렸다. 빵과 버터의 조합에 감탄하고 있을 때쯤 드디어 메인 요리인 버팔로 스테이크와 연어 스테이크가 나왔다. 이미 빵에서 장인의 맛을 경험한 나는 맛없으면 어쩌나 하는 걱정 따위는 버린 지 오래였다. 투박하게 담긴 스테이크 위로 칼질을 스윽 하고 소스를 찍어 입에 넣었는데.

"하 - "

외마디 탄식과 함께 더 이상 무슨 말이 필요하냐며 칼질을 이어갔다. 염려했던 비린 맛은 전혀 없었고 직접 만든 소스와 함께 어우러진 버팔로와 연어의 맛은 (조금 과장하면) 어젯밤에 본 오로라보다 황홀했다. 비록 이제껏 캐나다에서 먹은 음식을 통틀어 가장 비싼 돈을 내고 먹었지만, 사장님이 돈을 더 달라고 해도 더 줄 수 있을 정도의 마음의 아량이 가득해진 식사였다. 식사를 마친 나와 C는 둘이 같이 가서 두 가지 음식을 맛봐 얼마나 다행이냐며 서로를 칭찬하기 바빴다. 역시 여행하면서 먹는 데는 돈 아끼는 게 아니다.

그렇게 우리는 만족스러운 저녁 식사 후 각자의 숙소에서 잠시 쉬기로 하고 쿨하게 헤어졌다. 숙소로 돌아와 새근히 쉬고있는 루퍼의 등을 쓰다듬으며 잠시 눈을 붙이고 일어나니 어느덧 해는 지고 옐로나이프의 적막한 밤은 다시 찾아왔다. 그리고 나는 어제와 같이 픽업 차량을 기다리는 순간부터 오로라를 또 볼 수 있게 해달라며 기도했다. 둘째 날과 마지막 셋째 날은 '오로라 헌팅(Hunting)'을 하는데, 같은 자리에서 오로라가 뜨기를 기다리는 뷰잉과는 달리 오로라가 뜰법한 장소를 직접 찾아가게 된다. 이름도 헌팅이다. 뭔가 뷰잉보다는 더 적극적이고 과감한 이름에 매료된 나는 어제보다 더 가득한 기대를 안고 차에 올랐다.

투어업체 사장님의 거침없는 운전으로 산속 길을 달리길 삼십 여분. 주위엔 하늘로 높게 솟은 나무와 하얀 눈밖에 없는, 말 그대로 허허벌판인 곳에 우리는 내려졌다. 그리고 내뱉은 첫 마디.

"아오. 추워."

분명 날짜상으로는 완연한 봄이었지만 북위 60도에서 맞이하는 봄은 상상과는 많이 달랐다. 실제 온도는 영하 25도, 그리고 매섭게 부는 바람 탓인지 체감온도는 영하 30도에 달했다. 너무나도 연약한 내 아이폰 6S는 잠깐만 주머니에서 꺼내도 잠에 빠져들기 일쑤였다. 도저히 안 될 것 같아 아끼고 아끼던 핫팩을 꺼내 등에 붙여 주니 그래도 조금은 괜찮았는지 몇 분은 버텨 주었다. 사장님이 추천해 주신 자리에 삼각대를 설치하고, 어젯밤 다운 받은 유료 카메라 앱을 틀어놓고 차에 들어갔다 나오기를 수도 없이 반복했다. 정말 많이, 많이 추웠다.

그렇게 시간이 흘러 어느덧 새벽 한 시가 다 되어 갈 때쯤 오로라가 잘 보이지 않아 장소를 이동하려는 찰나. 주변에서 웅성거리는 소리가 들리기 시작했다. 느낌이 온 나는 바로 차 밖으로 나가 하늘을 쳐다봤다. 어제와는 또 다른 모습의 오로라가 하늘에 펼쳐지고 있었다. 흔히 움직이는 오로라의 모습을 바람에 흔들리는 커튼을 아래에서 보는 것과 비슷하다고 표현한다고 한다. 그 표현을 누가 만들었는지는 몰라도 딱 들어맞는 말이라고 생각한 순간이었다. 커튼보다 더 얇고 촘촘한 면사포가 부드러운 바람에 소리 없이 흔들리는 모습 같았고, 내가 우주 속, 지구라는 별에 사는 생명체라는 것을 다시 한번 느낀 순간이었다.

그 순간을 놓치지 않기 위해 투어업체 사장님은 얼른 가서 서보라고 말씀하셨다. 나는 누구보다 빠르게 뛰어가 포즈를 잡았다. 흔히 말하는 '인생 샷'을 건진 것이다. 그 어떤 멋진 고성과 성곽 앞에서 찍은 사진보다도 웅장하고 아름다운 사진을 가질 수 있었다. 볼 때마다 가슴 떨리는 사진을 가지고 있다는 건 정말 행복한 일이다. 오로라 헌팅을 무사히 끝내고 숙소에 돌아와 머릿속으로 오로라를 봤던 그 순간을 다시 한번 그려봤다. 검은 하늘에 수천수만 가지 색의 얇은 실이 하나의 면을 이루어 부드러운 바람에 흔들리는 모습. 해 질 무렵 잔잔한 호수에 비친 빨간 태양과 그 태양 빛을 조용히, 하지만 부지런히 받아내는 윤슬 같은 모습. 아무리 자세히 상상하고 표현하려고 해도 내가 본 모습 그대로를 담아내기엔 역부족이다.

역시 이건 직접 봐야 한다.

환상의 나라
마지막 날

이틀 연속 황홀한 오로라를 봤다는 생각에 마음은 그 어느 때보다 행복했지만, 옐로나이프로 출발하기 전날 밤까지 일했던 탓에 몸은 피로로 찌들어 있었다. 그래서 이전 날들보다 조금 더 여유로운 아침을 보내고 점심때가 지나서야 마지막 날 첫 일정을 시작했다. 첫 일정은 바로 '개 썰매'. 사실 개 썰매 투어 비용이 나와 같은 가난한 여행자에겐 비싼 금액이었기 때문에 신청 직전까지 고민했었다. 하지만 이 먼 곳까지 와서 돈 때문에 망설이는 내 모습이 너무 싫어 어차피 내 인생에 돈 있었던 적이 얼마나 있었냐는 호탕한 마음으로 급하게 예약했다. 결과적으로 그 선택을 한 과거의 나에게 몇 번이고 감사의 인사를 보내고 싶다.

숙달된 개들의 질주는 물론이고, 달리는 썰매 양옆으로 펼쳐지는 아름다운 옐로나이프의 눈 덮인 자연은 신청하기까지 잠깐 망설였던 그 시간이 아까울 정도였다. 개 썰매 외에도 얼음 미끄럼틀, 설피 체험, 마시멜로 구워 먹기 등(마시멜로 싫어했는데 좋아졌다) 다양한 활동들도 할 수 있어서 자칫 지루할 수 있었던 이곳에서의 마지막 낮 일정을 그 어느 때보다 스펙타클하게 보냈다.

그리고 마지막 밤. '과연 3일 연속으로 오로라를 볼 수 있을까?'라는 의심과 걱정이 머릿속에 가득했다. 어떤 사람은 몇 날 며칠을 기다려도 보지 못했다는 오로라를 나는 이미 이틀이나 봤는데, 남은 하루까지 보려고 하는 건 혹시 지나친 욕심이지 않겠냐는 생각도 들었다. 하지만 그 생각은 오래가지 않았다. 또 보고 싶었고, 다시 한번 느끼고 싶었다.

지금 보지 않으면 내 인생에 또 볼 수 있을지 없을지 모르는 이 아름다움을, 볼 수 있는 한 최대한 많이 보고 싶다는 욕심은 사라지기는커녕 시간이 지날수록 더 커졌다. 그리고 그런 내 욕심에 응답이라도 하듯 마지막 옐로나이프의 하늘은 그 어느 때보다 아름다웠다. 순식간에 나타났다가 또 순식간에 사라지는 오로라. 그리고 그 찰나의 순간을 놓칠세라 고개를 이리 돌리고 저리 돌리며 쫓아가기 바쁜 사람들. 캄캄한 어둠 속에서 하늘을 수놓는 오로라 아래 세상을 다 가진 것처럼 행복해하는 우리들의 모습을 보면서 여행이 가진 힘을 다시 한번 깨달았다.

사람들은 여행에 많은 정의를 내린다. 누군가에겐 현실도피일 것이고, 또 다른 누군가에겐 답답한 현실을 살아가도록 해주는 비타민 같은 존재일 것이다. 그리고 어떤 이는 돈 낭비라고 생각할 수도 있겠다. 어떤 정의가 맞다, 틀리다 할 수 없다. 백 명의 사람이 있다면 백 가지의 생각이 있을 것이고, 백 가지의 정의가 있을 것이다. 나는 그저 여행하고 있는 '지금, 여기'를 즐기고, 몸은 비록 힘들고 지치더라도 마음만은 풍족한 시간을 갖는 것. 그리고 여행을 마치고 다시 보금자리로 돌아가 침대에 털썩 누우며 "역시 집이 최고야."라고 웃으며 말할 수 있다면 그걸로 그 여행은 성공한 여행이라고 생각한다.

이번 옐로나이프 여행이 그런 여행이다. 너무나도 익숙한 한국을 떠나 캐나다라는 미지의 세계로 온 것도 모자라, 정착한 도시에서 적응할 새도 없이 이번이 아니면 평생 보지 못할 수도 있다는 생각에 계획 없이 떠난 여행이었다. 그래서 많이 불안했고, 걱정도 많았다. 하지만 그 불안과 걱정은 내 머리 위에서 소리 없이 춤추는 오로라의 몸짓 한 번에 눈 녹듯 사라졌다. 나는 어느새 모든 짐을 훌훌 털어버리고 그 어느 때보다 가벼운 마음으로 여행하는 진정한 여행자가 되어 있었다. 그리고 생각했다.

'꼭 다시 와야지.'

사랑하는 가족, 친구, 연인, 아니면 그 누군가가 되었든 멀지 않은 가까운 미래에 꼭 사랑하는 사람과 함께 와서 다시 한번 이 느낌을 느껴야겠다고 말이다. 옐로나이프 여행은 나에게 인생의 버킷리스트가 그저 버킷리스트만으로 머물러 있지 않도록 해준 여행이었다. 자연의 위대함. 아니, 우주의 위대함을 또 한 번 느끼게 해 준 여행이었고, 다음 새로운 여행지를 고민하게 해준 마중물 여행이 되었다.

나는 삼박 사일 동안 환상보다 더 환상 같은 세상에 살았다.

YELLOWKNIFE

A
ARRIVALS ARRIVEES

개정판을 펴내며

어떤 것이든 그 앞에 '첫' 글자가 붙으면 조금 더 특별해집니다. 때로는 아련해지고, 애틋해지기도 하지요. 제게 『싱숭생숭 집에가자』가 그렇습니다. 첫 책이 세상에 나오기까지, 세상에 나오고 난 후에도 지난한 과정이 뒤따랐습니다. 전 세계를 뒤덮은 전염병이 한창일 때 만들기 시작해 크라우드 펀딩을 준비하고, 충무로와 파주를 오갔습니다. 모든 걸음이 첫걸음이었던 그때. 한 발짝 내디딜 때마다 힘겹고 어려웠지만,

그렇기에 보다 선명한 색으로 덧입혀 기억에 자리합니다.

후원자분들께 책이 전달된 후 기나긴 과정의 끝에 서서 안도의 한숨을 쉴 때쯤, 인쇄 실수를 발견하였습니다. 누락된 문장 수만큼이나 심장은 몇 번이고 내려앉았고, 눈물은 흐르고 또 흘렀습니다. 많은 분의 도움으로 수정 스티커를 제작하고, 일일이 붙였습니다. 이미 책이 배송된 후원자분께는 송구스럽게도 직접 수정하실 수 있는 별도의 스티커를 포장해 배송했습니다. 서점에 입고 요청 메일을 보낼 때도 책 소개에 덧붙여 인쇄 실수와 수정 사항을 남겼습니다.

늦었지만, 책의 첫 시작을 함께해 주신 후원자분들과 선뜻 입고를 허락해 주신 서점 대표님들께 깊은 감사의 인사를 전합니다. 덕분에 처음이 처음으로만 끝나지 않을 수 있었습니다. 덕분에 두 번째, 세 번째 책을 쓰고 펴낼 수 있었습니다.

개정판은 초판에 담았던 글을 크게 수정하지 않았습니다. 개정을 준비하며 찬찬히 읽어본 글은 어딘가 부족하고, 민망한 구석이 많았습니다. 그동안 저도 많이 변했고, 글도 많이 변했으니까요. 하지만 이 책의 주인공은 지금의 제가 아닙니다. 누구보다 치열했고, 어느 때보다 열심을 다했던. 그리고 넘치도록 행복했던 그때의 제가. 그때의 글이 주인공입니다.

초판에 담았던 사진은 개정판에서 조금 줄였습니다. 첫 책이 마지막 책이 될 줄 알았던 그때의 저는 어느 한 장도 포기할 수 없었나 봅니다. 그 덕에 한 손으로 들기에 무거운 벽돌을 만들어 냈습니다. 선명한 사진이 보여주는 이야기도 좋지만, 솔직한 글이 나지막이 들려주는 이야기가 부드럽게 다가가길 바랍니다.

저는 오늘도 여행을 꿈꿉니다. 새로운 곳에서 새로운 사람을 만나 새로운 이야기를 나누길 꿈꿉니다. 치열하게 행복할 순간을 꿈꿉니다.

당신의 오늘도 여행이길 바랍니다. 계획대로 되지 않아도, 가끔 비를 맞아도, 너털웃음 지으며 “이게 여행이지!”하며 새 걸음을 내딛길 바랍니다.

때때로 여행하며 살아가길.
매일을 여행하듯 살아내길 바랍니다.

2023년 여름
용진 올림

싱숭생숭 집에가자

초　판 1쇄 발행 2020년 11월 25일
개정판 1쇄 발행 2023년　8월 25일

지은이 용진(@victor_yongjin)
편집 용진
디자인 용진
펴낸곳 어바아웃북스(@aboout_books)
출판등록 2020년 9월 23일
제 2020-000042호
메일 abooutbooks@gmail.com
ISBN 979-11-972111-3-3 (03810)